*A*vant-propos

Libre Échange propose un enseignement / apprentissage du français à partir de situations communicatives à visée fonctionnelle dont le contenu linguistique est prévu pour une première année d'étude, soit en milieu scolaire, soit en formation continue pour adultes.

Libre Échange est une méthode à deux vitesses qui répond aux besoins précis de deux publics distincts.
Chaque unité comporte trois modes de communication.
La *situation 1, parties A* et *B,* en registre de langue standard, constitue **le parcours obligatoire** pour réaliser l'ensemble des activités grammaticales, fonctionnelles et culturelles.
Les *situations 2* et *3* fournissent un parcours qui donne aux apprenants une exposition à la communication en style familier *(situation 2)* et en style soutenu *(situation 3)*. L'objectif de **ce parcours secondaire** est essentiellement d'accroître la compétence fonctionnelle (voir le livre du professeur pour l'utilisation de ces situations). Ces trois modes de communication offrent aux apprenants une prise de contact avec les différentes manières de parler des Français.

À partir de la *situation 1* à registre standard, toutes les activités prévues peuvent être réalisées en classe. Les *situations 1* sont en effet accompagnées d'activités et d'exercices variés :

— exercices de découverte des règles : *Découvrez les règles;*
— canevas de jeux de rôles : *À vous de parler;*
— exercices et activités de réemploi : exercices grammaticaux, *Manières de dire* (repérage fonctionnel et réflexion sur les niveaux de langue);
— tableaux de grammaire : *Votre grammaire;*
— évaluation de l'acquis grammatical : *Vérifiez vos connaissances;*
— entraînement à la phonétique : *Découvrez les sons.*

D'autre part, chaque unité comporte des pages destinées à une étude de quelques aspects culturels liés à la thématique. Chaque unité propose également un document oral authentique accompagné d'un questionnaire de compréhension orale *(Est-ce-que vous avez compris?)* et d'un *Résumé*.

Méthodologie

1. Compréhension orale de la *situation 1*

Passer la bande deux fois et demander aux élèves ce qu'ils ont compris. Guider la compréhension par des questions telles que :

— Qui sont les personnages?
— Où sont-ils?
— Quels mots avez-vous compris?

Au début, on pourra, ou non, laisser les élèves s'exprimer en langue maternelle, mais très vite, ils seront capables de faire des phrases en français : il faudra les encourager et surtout **ne pas corriger** les « fautes » pendant cette phase de la leçon (la correction se fera essentiellement à la suite des activités qui auront été préparées par les élèves : cf. les canevas de jeux de rôles).

Une connaissance globale du contenu de la situation, avant l'écoute, peut faciliter la compréhension orale (cf. la légende sous l'image de support ou une lecture possible du dialogue par les élèves hors de la classe). La mémorisation du dialogue se fait d'elle-même si les élèves ont été actifs pendant la phase de compréhension.

2. Découverte des règles

Pour cette activité, les structures grammaticales sont réunies en fonction des règles qu'elles illustrent (c'est/il est ; il/elle ; à/au/en/chez, etc.).
Les élèves sont amenés à rechercher, d'abord individuellement, ensuite par groupes de deux, la règle d'emploi (exemple : *il* est masculin / *elle* est féminin ; on met *à* devant les noms de ville, *au* devant les noms de pays masculins, etc.).
Après une dizaine de minutes, le professeur invite la classe à donner les explications trouvées. Il est préférable que les élèves soient « volontaires », ce qui stimule la compétition.

Cette activité de découverte des règles est essentielle pour l'apprentissage. Elle développe chez l'élève les facultés de déduction et permet une meilleure mémorisation de la règle : **les stratégies qui facilitent l'apprentissage ne se développent pas lorsque l'on donne des règles toutes faites** (cf. le livre du professeur pour cet aspect essentiel de la méthodologie).

3. Canevas de jeux de rôles *(À vous de parler)*

C'est une activité de classe destinée au réemploi « créatif ». Le professeur explique les mots des canevas que les élèves ne comprennent pas.
Les élèves sont libres de donner des noms et une individualité aux personnages. Il faut les encourager à se demander ce qu'eux-mêmes diraient s'ils se trouvaient dans la situation du canevas. Les élèves pourront avoir besoin d'utiliser des mots qu'ils ne connaissent pas. Ils peuvent demander à leurs camarades, au professeur ou chercher dans le dictionnaire. Il faut prévoir vingt minutes environ pour la préparation. Elle peut être écrite ou orale, selon les élèves.

Quand la préparation est terminée, les élèves sont invités à jouer leurs rôles devant la classe. Les élèves « spectateurs » doivent noter les formulations qui ne leur paraissent pas correctes. Pendant la dramatisation, personne n'interrompt les élèves « comédiens ». Au début, seuls des élèves « volontaires » feront leur dramatisation devant la classe.

Après le jeu, les formulations incorrectes sont discutées et, avant de donner la réponse correcte, le professeur demande aux élèves de proposer une meilleure formulation.
Cette activité est essentielle car elle permet d'abord d'élargir les connaissances lexicales des élèves ; ensuite, elle leur permet de s'exprimer librement en favorisant l'interaction naturelle et enfin, elle leur donne la possibilité de structurer leurs connaissances grammaticales.

4. Les différents exercices

Les uns permettent de fixer les nouvelles connaissances par écrit, les autres permettent de stimuler les interactions et de motiver les élèves à parler en leur nom propre.

5. Évaluation de l'acquis grammatical
(Vérifiez vos connaissances)

Les connaissances grammaticales de chaque unité seront évaluées dans ce test. Des tests de compréhension orale et écrite sont proposés dans le livre du professeur.

6. Les activités de phonétique *(Découvrez les sons)*

Prévues dans chaque unité, elles peuvent se faire en fonction des besoins des élèves. Ces activités comportent des exercices de discrimination auditive des principales difficultés du français. Des exercices de répétition et de petits *amusements sonores* figurent également dans le livre. Ceux-ci peuvent être appris par cœur et servir d'activité ludique.

Janine COURTILLON   Geneviève-Dominique de SALINS

LIBRE Echange 1

avec la participation de
Christine GUYOT-CLÉMENT

HATIER / Didier

Table de références des photographies, des dessins et des chansons :

Photo couverture : R. Grosskopf/Fotogram-Stone - p. 9 : Turnley/Rapho - p. 10 : B. Perigois/Option Photo - p. 13 : *La trahison des images* 1928-9, Los Angeles Country Museum of Art, ADAGP Paris 1991 - p. 22 : France Telecom - p. 23 : Gable/Jerrican ; Marc Wittmer - p. 25 : C. Abegg ; V. Clement/Jerrican - p. 26 : Exroy/Explorer - p. 38 : Bonne Maison/Pix ; Achdou/Jerrican ; Ivaldi/Jerrican ; E. Mandelmann/Rapho ; R. Berli/Rapho - p. 39 : photo archives Hatier - p. 42 : Tibes/Sipa-Press - p. 43 : M. Baret/Rapho - p. 44 : A. Tilley/Fotogram-Stone - p. 55 : M. Baret/Rapho ; Ginies/Sipa-Press ; Limier/Jerrican ; Djanne/Jerrican ; Turpin-Simon/Gamma - p. 56 : A. Goudeneiche/Sipa-Press - p. 59 : Ivaldi/Jerrican - p. 60 : G. Loucel/Fotogram-Stone - p. 72 : Poinot/VLOO ; E. Brun, Bibliothèque Forney ; P. Legroux/VLOO ; M. Peccoux/Gamma ; Gontscharoff/Pix ; De Sazo/Rapho - p. 73 : Le Doaré/Pix ; Lambert/Rapho ; J.-P. Garcin/Diaf ; Cahagne/VLOO - p. 76 : B. Régent/Diaf - p. 77 : C. Rausch/Rapho ; J. Kopel/Fotogram-Stone - p. 78 : Crampon/Jerrican ; p. 88 : Pitchal/Jerrican ; D. Le Scour/Jerrican ; Fournier/Rapho - p. 89 : E. Poupinet/VLOO ; Lérault/Pix ; Sims/Jerrican - p. 90 : Belzeaux/Rapho ; RATP - p. 91 : E. van der Veen/Rapho ; B. Hermann/Rapho - p. 93 : E. Chino/Explorer - p. 94 : Ph. Rocher/Jerrican - p. 107 : Marc Wittmer ; Chagnon/Groupe Express ; Chagnon/Groupe Express - p. 108 : H. Langlois/Groupe Express - p. 109 : © Photo R.M.N. - p. 111 : M. Manceau/Rapho ; M. Clery/Rapho ; De Sazo/Rapho - p. 112 : M. Cogan/Top - p. 123 : © Photo R.M.N. ; Tulane/Rapho ; Annebicque/Sygma ; Limier/Jerrican ; © Photo R.M.N. ; © Photo R.M.N. Spadem 1991 - p. 124 : S. Couturier/Jerrican ; Sims/Jerrican ; B. G. Silberstein, FRPS-FPSA/Rapho - p. 125 : RATP ; Goynenex/Sipa-Press - p. 127 : E. Berne/Fotogram-Stone - p. 128 : D'Herouville/Pix - p. 142 : E. Sereny/Sygma ; M. Berton, J. Quiniou/Avantages - p. 145 : Interpress - p. 146 : M. Cogan/Top - p. 147 : Pro-contact - p. 159 : © Gaumont ; Telema ; Interpress ; Megret, Quidu/Interpress ; Christophe L. ; C. Geral/Interpress ; Cesars/Interpress - p. 160 : Cinéma et Jeunesse - p. 161 : J. Villegier/Explorer - p. 162 : Kipa - p. 164 : D. Bouteiller - p. 165 : SNCF - p. 166 : C. Bouvier/Stock Image - p. 174 : P. Schilling/B.C.R.C. - p. 177 : Marc Wittmer ; J. Nicolas/Sipa-Press ; Antenne 2 ; Radio France ; Dianne/Jerrican - p. 178 : Roger-Viollet ; R. Burri/Magnum ; Roger-Viollet ; F. Ducasse/Top ; B. Barbey/Magnum ; Roger-Viollet ; coll. ES/Explorer ; Lapi/Roger-Viollet - p. 179 : CNAM ; Marc Wittmer ; Boyer/Roger-Viollet ; Lochon/Sipa-Press - p. 180 : Pavlovsky/Rapho ; Sipa-Press ; Roger-Viollet ; Gamma ; Gamma ; SNCF - p. 181 : Procontact - p. 183 : D. Cannon/Vandystadt ; R. Phelps Frieman/Rapho ; Y. Guichaoua/Vandystadt - p. 184 : J. Courtillon - p. 185 : Roland/Jerrican - p. 198 : Duclos/Gamma-Sport ; Y. Ghuichaoua/Vandystadt ; Dubois/Explorer ; S. Compoint/Sipa-Press ; C. Petit/Vandystadt ; Foulon/Sipa-Press ; C. Fevrier/Sea and See - p. 199 : J. Gray/Fotogram-Stone ; Ivaldi/Jerrican - p. 203 : G. Guittot/Diaf ; Gamma - p. 204 : R. Giles/Fotogram-Stone - p. 205 : S. Baker/AAA Photo - p. 218 : P. Aventurier/Gamma ; A. Le Bot/Gamma ; B. Laforêt/Gamma ; Lerosey/Jerrican ; Perrin/Pix - p. 219 : R. Perrin/Pix ; M. Baret/Rapho ; C. de Torquat/Pix ; G. Guittot/Diaf ; Pix ; C. de Virieu/Petit Format - p. 220 : F. Apesteguy/Gamma ; Roger-Viollet ; Abbas/Magnum ; M. Paygnard/Rapho ; Ivaldi/Jerrican ; Roger-Viollet - p. 221 : Norman/Zefa ; B. Barbey/Magnum ; Ginies/Sipa-Press ; J.C. Francolon/Gamma ; B. Barbey/Magnum ; Prod/DB.

Dessins : Jacques Lerouge, Marcos Testamark (pour les situations 2 et 3), Anne-Marie Vierge (pp. 125, 200, les « amusements sonores » et les « petits cœurs »), Anne-Marie Bodson (pp. 90, 91, 140, 141 et 159), Jean-Louis Goussé (pp. 6 et 7), Volker Theinhardt (pp. 74 et 143) et Christine Coriolo (p. 139).

Chansons : p. 72 : Éd. musicales/J. Wolfsohn ; Les Nouvelles Éditions/Meridian - p. 73 : (1re colonne) Raoul Breton ; Éd. Salabert ; (2e colonne) Alléluia.

Nous avons recherché en vain les éditeurs ou les ayants droit de certains textes ou illustrations reproduits dans ce livre. Leurs droits sont réservés aux Éditions Didier.

Couverture, conception de maquette et logos : Anne-Marie Bodson
Photocomposition : Touraine Compo
Photogravure : AGS

© Les Éditions Didier, Paris, 1991   Imprimé en France
ISBN 2-278-04016-2

7. Culture et civilisation *(La France au quotidien)*

Cette rubrique offre trois types de documents :

— une illustration des « productions » françaises actuelles (art, cinéma, technique, etc.);
— des informations pratiques;
— une présentation des comportements des Français sous forme de textes écrits à orientation ethnographique.

À partir de ces documents, des activités sont proposées ou suggérées (le livre du professeur fournit des informations supplémentaires nécessaires à la compréhension et à l'exploitation de ces documents).

8. Document pour la compréhension orale *(Est-ce-que vous avez compris?)*

De même que pour les pages de culture et civilisation, le niveau de ce document dépasse d'un point de vue linguistique les connaissances acquises par les élèves. Cela est voulu. En effet, on sait que l'acquisition d'une langue passe d'abord par la compréhension et qu'il n'est pas nécessaire, ni possible, de reproduire tout ce qui a été compris, mais on sait aussi qu'une exposition à des documents, mêmes difficiles, prépare les élèves à des acquisitions qui deviendront actives par la suite. En fait, cela permet d'accélérer l'apprentissage.

Ce document sonore ne doit pas être exploité au niveau linguistique. Il faut se contenter de répondre aux besoins de compréhension des élèves. Cette compréhension est facilitée par un questionnaire à choix multiple qui se trouve dans le livre de l'élève (les transcriptions sont placées en fin d'ouvrage).
L'activité de compréhension orale peut être proposée soit chronologiquement, à la fin de chaque unité, soit avec un décalage. Il semble, par exemple, que l'enseignant pourra juger opportun de ne passer le document de compréhension orale de *l'unité 1* qu'à partir de l'étude de *l'unité 4.* Ce décalage sera alors considéré comme une décision pédagogique qui permettra aux élèves de mieux comprendre et de réviser utilement les acquis des unités précédentes. C'est en somme à l'enseignant de décider à quel moment ce document de compréhension orale est à utiliser le plus efficacement pour la progression des connaissances de ses élèves.

Le livre du professeur

Il contient des conseils d'utilisation de la méthode, des propositions d'activités, les corrigés des exercices, des explications culturelles.

Le cahier d'exercices

Il permet de consolider les acquis grammaticaux, lexicaux et fonctionnels et comporte également des exercices d'auto-évaluation. Les corrigés se trouvent à la fin du cahier.

Les enregistrements

Les dialogues des *situations 1, 2* et *3* ainsi que les exercices de phonétique sont répartis sur deux cassettes.
Une troisième cassette propose les documents de compréhension orale.

ÉCHANGES

CONTACTS

SITUATION

Le téléphone sonne.

A Pierre : Allô? *(silence)* Non, c'est Pierre. Vous voulez parler à Michel?
... Michel! Téléphone!
Michel : Quoi? Qu'est-ce que c'est?
Pierre : C'est le téléphone. Où es-tu?
Michel : Je suis dans la piscine.
Pierre : Viens! Dépêche-toi!
Michel : J'arrive!

B Michel : Allô? *(silence)* Ah, mon Dieu! Excusez-moi! J'arrive!
Pierre : Qu'est-ce qui se passe? C'est Cécile?
Michel : Non, ce n'est pas Cécile, c'est Jacky. Elle est à la gare.
Pierre : Jacky? Qui est-ce?
Michel : C'est une amie, elle arrive, elle vient pour le week-end.
Pierre : Ah bon!

Questions

A *Qui répond au téléphone?*
Où est Michel?
Qu'est-ce que Pierre dit à Michel?
Qu'est-ce que Michel répond?

B *Qui répond au téléphone : Pierre ou Michel?*
Qui téléphone : Cécile ou Jacky?
Où est-elle?
Qui est Jacky? C'est une amie de Pierre ou de Michel?

DÉCOUVREZ les règles

– **Qu'est-ce que c'est?**
– C'est le téléphone.

– **Qui est-ce?**
– C'est une amie.

Comparez les deux questions.
Quelle est la différence?

C'est le téléphone.
Ce n'est pas Cécile.
C'est Jacky.
Je suis dans la piscine.
J'arrive.

Observez :
– le groupe verbal,
– la négation,
– les articles.

– Où es-tu?
– Je suis dans la piscine.

– Jacky? Qui est-ce?
– C'est une amie.

Observez :
– les formes des questions,
– les articles.

Excusez-moi.
Dépêche-toi!

Observez.

Viens!
Elle vient.

Observez le verbe.

Faites-les parler...

MANIÈRES de dire

1. *Relevez dans la ou les situation(s) (p. 10 ou pp. 20 et 21), les expressions qui permettent de* **saluer quelqu'un**, *de* **demander quelqu'un**, *de* **s'excuser**.

Pour saluer quelqu'un

. . . . . .

Pour demander quelqu'un

. . . . . .

Pour s'excuser

. . . . . .

2. *Comparez les expressions relevées.*

Pour parler à un copain

. . . . . .

Pour parler aux autres

. . . . . .

À VOUS de parler

*Jeu de rôles à trois personnages :
A, B et C.*

Le téléphone sonne :
A décroche.
B demande si c'est C.
A répond négativement.
B demande où est C.
A répond qu'il/elle n'est pas là.
B s'excuse et raccroche.
C demande qui a téléphoné.
A répond.
C n'est pas content.

Exercices

1

Sérieux, pas sérieux?

Ce n'est pas Cécile.

Ceci n'est pas une pipe.

Attention : ceci = ce.

1. Vous êtes sérieux? Vous écrivez ce que c'est.
Vous n'êtes pas sérieux? Vous inventez ce que ce n'est pas.

Ce n'est pas une carte d'identité

C'est un passeport

C'est un chat

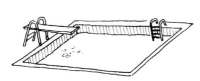

C'est la piscine

C'est une pièce de 10 F

C'est une femme

C'est un général

C'est un maître nageur

C'est un bureau de tabac

magnétic

C'est une carte magnétique pour téléphoner

C'est une cabine téléphonique

2. Comparez vos réponses à celles de votre voisin.

2

Les « poupées russes »

find.

Trouvez les questions et les réponses.

Questions | Réponses
1. Où ..*est*.. Jacky? | *Jacky est dans du la cabine*
2. . . . . . . ? | *est à la gare*
3. . . . . . . ? | *à Paris*
4. . . . . . . ? | *à France*

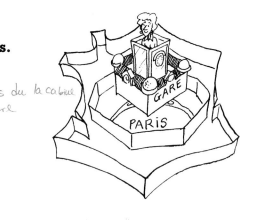

3

Écrivez votre poème.

for *30/11/94*

Jouez avec le verbe « être » et l'interrogation.

« Je *suis à la gare*
Où es tu?. . . . .
Il est dans la piscine
tu *es où?*. . . .
Elle est dans le »
salon.

je/tu   *Où es tu ?*
il/elle   *qui es tu?*
gare/jardin   *Où est il?*
salon/piscine
etc.

4

Conversations

Trouvez la question.

1. – . . . . . . ? *Où es tu*
   – Je suis dans une cabine.
   – . . . . . . ? *Où es tu*
   – Je suis à la gare.
   – . . . . . . ? *Où est-il*
   – Il est dans la piscine.
2. – . . . . . . ? *Où*
   – Je suis dans la piscine.
   – . . . . . . ? *Qu'est que c'est?*
   – C'est le téléphone.
   – . . . . . . ? *Qui est?*
   – C'est un ami, il est à la gare.

5

Les habitudes sociales des Français

1. Le téléphone sonne, vous répondez : « . . . . . . ».
2. Vous rencontrez un ami, le soir, vous lui dites : « . . . . . . ».
3. Le matin, vous dites : « . . . . . . ».
4. Vous partez, vous dites : « . . . . . . ».

5. Marc téléphone chez un Français, il doit dire : *(to a French person)*
   « Allô, qui est-ce? » ☐
   « Allô, c'est Marc. » ☑
6. Pour s'excuser, on doit dire :
   « . . . . . . ».

devoir = must
(irag)
Je dois manger

6 **Mettez dans les cases le numéro qui correspond.**

one says
1. On dit « merci »   pour demander un service.   ④
2. On dit « je vous en prie »   pour remercier. *to thank*   ①
3. On dit « de rien »   pour s'excuser.   ⑤
4. On dit « s'il vous plaît »   pour répondre à une excuse.   ②
5. On dit « excusez-moi »   pour répondre à un « merci ».   ③

VOTRE grammaire

Questions, affirmations, négations

Questions	**Affirmations**	**Négations**
Qu'est-ce que c'est?	**C'est** le téléphone.	Ce **n'** est **pas** une amie.
Qui est-ce?	**C'est** Jacky.	Il **n'** est **pas** à la gare.
Où êtes-vous?	**Je suis** à la gare.	Elle **n'** est **pas** à la maison.

Le verbe « être » au présent

Je	**suis**	à la maison.
Tu	**es**	dans la piscine.
Il/elle	**est**	à la gare.
Nous	**sommes**	là.
Vous	**êtes**	au Portugal?
Ils/elles	**sont**	en Espagne.

LA CONJUGAISON DES VERBES

Les verbes en -er

Le verbe venir

Arriver		**Écouter**		**Venir**	
Présent		**Impératif**		**Présent**	**Impératif**
J'arriv**e**		Écout**e**		Je vien**s**	Vien**s**
Tu arriv**es**		Écout**ez**		Tu vien**s**	Ven**ez**
Il/elle arriv**e**				Il/elle vien**t**	
Nous arriv**ons**				Nous ven**ons**	
Vous arriv**ez**				Vous ven**ez**	
Ils/elles arriv**ent**				Ils/elles vien**nent**	

*Je t'aime un peu,
beaucoup,
passionnêment,
à la folie,
pas du tout.*

VÉRIFIEZ
vos connaissances

10 - **a**

3 - **b**

1 - **c**

Complétez les phrases suivantes et retrouvez les trois dialogues ou situations qui correspondent aux trois dessins.

1 ■ – *C'est* . Michel?
– Non, *c'est*. . la concierge.

2 ■ – Qui est-ce?
– *C'est ta* ami.

3 ■ – Allô? Où êtes-vous?
– Je *suis dans un* cabine téléphonique.

4 ■ – *Qui est-ce*?
– C'est . *ton* . . . amie.

5 ■ – *Qu'est-ce que* ?
– C'est une carte de téléphone.

6 ■ – Où est Jacky?
– Elle . *est à la gare*

7 ■ – C'est Cécile?
– Non, ce *ne pas* . , . *c'est*. Jacky!

8 ■ – Michel! Viens, dépêche-toi!
– . *J'arrive* !

9 ■ – Mais, *où est*. Michel?
– Il *est dans la* piscine!

10 ■ – *Qu'est-ce que* ?
– C'est un télégramme.

DÉCOUVREZ les sons

Intonation

Comparez deux intonations.

a. La voix descend : phrase déclarative.

b. La voix monte : phrase interrogative.

Exemples :

a. C'est le téléphone.

b. C'est le téléphone?

1 ▶ **Écoutez la bande et mettez une croix (×) chaque fois que vous reconnaissez le type d'intonation.**

	La voix descend	La voix monte
1		×
2		×
3	×	
4		×
5		×
6	×	
7		×
8	×	
9		×
10	×	

2 ▶ **Transformez les phrases déclaratives en phrases interrogatives.**

3 ▶ Pour poser une question avec un mot interrogatif, **la voix descend.**

Exemples :

Qu'est-ce que c'est?   Où êtes-vous?

Écoutez et répétez les questions suivantes.

Amusement sonore

– Lundi, oui?
– Non, mardi.
– Et mercredi?
– Ah non! pas mercredi.

– Et jeudi alors?
– Jeudi, je suis pris.
– Vendredi, tu es libre?
– Non, ni vendredi, ni samedi.

– Alors, à dimanche!
– Dimanche ou lundi, oui.
– Eh bien, à lundi en huit!
– À lundi, oui.

Est-ce que Rémi est là?

Itinéraire *Bis*

Madame Dupré : Allô?

Éric : Bonjour madame, c'est Éric.

Madame Dupré : Ah! Bonjour Éric, comment vas-tu?

Éric : Très bien, merci. Est-ce que Rémi est là, s'il vous plaît?

Madame Dupré : Oui, oui, un instant.

Madame Dupré : Rémi! Téléphone!

Rémi : Qui c'est?

Madame Dupré : C'est Éric.

Rémi : O.K., j'arrive!

Rémi : Allô, Éric? Ça va? *(Tut, tut, tut...)* Ben ça alors! Il a raccroché! Qu'est-ce qui se passe?

Faites-les parler...

Il est sorti.

Lucie : Allô, Jean-Charles?
Voix de femme : Qui demandez-vous?
Lucie : Je ne suis pas chez Jean-Charles Villard?
Voix de femme : Ah non, je suis désolée, c'est une erreur.
Lucie : Ah! Excusez-moi.
Voix de femme : Je vous en prie.

Philippe : Allô, Philippe Villard à l'appareil.
Lucie : Bonjour Philippe, Lucie à l'appareil! Vous allez bien?
Philippe : Oui, merci et vous?
Lucie : Ça va, merci. Je voudrais parler à Jean-Charles, s'il vous plaît.
Philippe : Ah! Il est sorti.
Lucie : Je peux laisser un message?
Philippe : Bien sûr, un instant...

Faites-les parler...

LA FRANCE AU QUOTIDIEN

le téléphone, c'est pratique

Penser aux autres, c'est garder le contact, rester fidèle, donner un peu de temps et de chaleur humaine.

— Hélas ! non, jeune homme ! Je ne suis pas votre petite Louloute. Je ne suis qu'une erreur !

FRANCE TELECOM

Téléphone, le fil de la vie

Pour téléphoner en France de Paris, faites le 16.

décrochez — tonalité — 16 — tonalité — numéro demandé

exemple : pour obtenir l'abonné 74 23 08 00 à Bourg-en-Bresse, composez 16, puis 74 23 08 00

Pour téléphoner à l'étranger, faites le 19.

     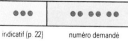

décrochez — tonalité — 19 — tonalité — indicatif (p. 22) — numéro demandé

de Province vers Paris / Ile-de-France
16 ~ 1 + 8 chiffres

de Paris / Ile-de-France vers Province
16 ~ 8 chiffres

à l'intérieur de Paris / Ile-de-France
8 chiffres

de Province en Province
8 chiffres

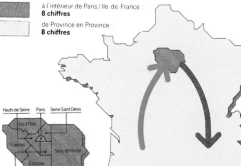

BRESIL
BRAZIL

    TR **CC** **PCV** − 2 − 3 GMT

FRANCE → BRESIL 19,09 F/mn (TARIF F)

Code international *International code* **19**	Indicatif du pays *Country code* **55**	Indicatif de la ville *Area code*	Numéro du correspondant *Customer's number*

Arcajú	792	Joäo Pessoa	832	Salvador	71
Belo Horizonte	31	Niteroi	21	Santos	132
Brasilia	61	Pôrto Alegre	512	São Paulo	11
Eldorado	67 ou 138	Recife	81	Teresopolis	21
Fortaleza	85	Rio de Janeiro	21	Vitoria	272

22

Pour téléphoner, il faut comprendre les chiffres.

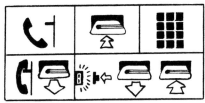

Ici, on peut téléphoner ou acheter une carte magnétique (Télécom).

Calendrier

Le premier janvier est férié : je ne travaille pas.
Le samedi et le dimanche non plus.
En février, je suis fatigué : je vais
à la montagne.
En mars, je travaille.
A Pâques, je suis en famille : en avril,
la campagne est jolie.
En mai, c'est le mois des fêtes :
la fête du Travail, la fête de la Victoire,
la fête de la Pentecôte.
Juin arrive, c'est agréable : il fait beau.
En juillet, il y a la fête nationale ;
le 14 juillet : on danse dans les rues.
En août, Paris est vide, je vais à la mer.
Septembre, octobre et novembre
sont les mois tristes, difficiles : il fait froid.
En décembre, je prépare Noël,
c'est encore la fête !
Le premier janvier, je suis en congé.

1991 JUILLET ☉ 3 h 53 à 19 h 56	AOUT ☉ 4 h 25 à 19 h 28	SEPTEMBRE ☉ 5 h 08 à 18 h 33	OCTOBRE ☉ 5 h 51 à 17 h 29	NOVEMBRE ☉ 6 h 38 à 16 h 30	DÉCEMBRE 1991 ☉ 7 h 24 à 15 h 55
1 L S. Thierry	1 J S. Alphonse	1 D S. Gilles	1 M Sᵗᵉ Th. E.J.	1 V TOUSSAINT	1 D Avent
2 M S. Martinien	2 V Sᵗᵉ Julien-Ey.	2 L Sᵗᵉ Ingrid	2 M S. Léger	2 S Défunts	2 L Sᵉ Viviane
3 M S. Thomas	3 S Sᵗᵉ Lydie	3 M S. Grégoire	3 J S. Gérard	3 D S. Hubert	3 M S. Xavier
4 J S. Florent	4 D S. J.M. Vianney	4 M Sᵉ Rosalie	4 V S. Fr. d'Assise	4 L S. Charles	4 M Sᵉ Barbara
5 V S. Antoine	5 L S. Abel	5 J Sᵉ Raïssa	5 S Sᵉ Fleur	5 M Sᵉ Sylvie	5 J S. Gérald
6 S Sᵉ Mariette	6 M Transfiguration	6 V S. Bertrand	6 D S. Bruno	6 M Sᵉ Bertille	6 V S. Nicolas
7 D S. Raoul	7 M S. Gaétan	7 S Sᵉ Reine	7 L S. Serge	7 J Sᵉ Carine	7 S S. Ambroise
8 L S. Thibaut	8 J S. Dominique	8 D Nativité N.D.	8 M Sᵉ Pélagie	8 V S. Geoffroy	8 D Imm. Concept.
9 M Sᵉ Amandine	9 V S. Amour	9 L S. Alain	9 M S. Denis	9 S S. Théodore	9 L S. P. Fourier
10 M S. Ulrich	10 S S. Laurent	10 M Sᵉ Inès	10 J S. Ghislain	10 D S. Léon	10 M S. Romaric
11 J S. Benoît	11 D Sᵉ Claire	11 M S. Adelphe	11 V S. Firmin	11 L ARM. 1918	11 M S. Daniel
12 V S. Olivier	12 L Sᵉ Clarisse	12 J S. Apollinaire	12 S S. Wilfried	12 M S. Christian	12 J Sᵉ Jeanne-F.C.
13 S SS. Henri, Joël	13 M S. Hippolyte	13 V S. Aimé	13 D S. Géraud	13 M S. Brice	13 V Sᵉ Lucie
14 D F. NATIONALE	14 M S. Evrard	14 S La Sᵗᵉ Croix	14 L S. Juste	14 J S. Sidoine	14 S Sᵉ Odile
15 L S. Donald	15 J ASSOMPTION	15 D S. Roland	15 M Sᵉ Th. d'Avila	15 V S. Albert	15 D Sᵉ Ninon
16 M N.D-Mt-Carmel	16 V S. Armel	16 L Sᵉ Edith	16 M Sᵉ Edwige	16 S Sᵉ Marguerite	16 L Sᵉ Alice
17 M Sᵉ Charlotte	17 S S. Hyacinthe	17 M S. Renaud	17 D S. Baudouin	17 D Sᵉ Elisabeth	17 M S. Gaël
18 J S. Frédéric	18 D Sᵉ Hélène	18 M Sᵉ Nadège	18 L S. Luc	18 L Sᵉ Aude	18 M S. Gatien
19 V S. Arsène	19 L S. Jean Eudes	19 J Sᵉ Emilie	19 M S. René	19 M S. Tanguy	19 J S. Urbain
20 S Sᵉ Marina	20 M S. Bernard	20 V S. Davy	20 M Sᵉ Adeline	20 M S. Edmond	20 V S. Abraham
21 D S. Victor	21 M S. Christophe	21 S S. Matthieu	21 L Sᵉ Céline	21 J Prés. Marie	21 S S. Pierre C.
22 L Sᵉ Marie-M.	22 J S. Fabrice	22 D S. Maurice	22 M Sᵉ Elodie	22 V Sᵉ Cécile	22 D HIVER
23 M Sᵉ Brigitte	23 V Sᵉ Rose de L.	23 L AUTOMNE	23 M S. Jean de C.	23 S S. Clément	23 L S. Armand
24 M Sᵉ Christine	24 S S. Barthélemy	24 M Sᵉ Thècle	24 J S. Florentin	24 D Sᵉ Flora	24 M Sᵉ Adèle
25 J S. Jacques	25 D S. Louis	25 M S. Hermann	25 V S. Crépin	25 L Sᵉ Catherine L.	25 M NOËL
26 V SS. Ann., Joa.	26 L Sᵉ Natacha	26 J SS. Côme, Dam.	26 S S. Dimitri	26 M Sᵉ Delphine	26 J S. Etienne
27 S Sᵉ Nathalie	27 M Sᵉ Monique	27 V S. Vinc. de Paul	27 D Sᵉ Emeline	27 M S. Séverin	27 V S. Jean
28 D S. Samson	28 M S. Augustin	28 S S. Venceslas	28 L SS. Sim., Jude	28 J S. Jacq. d.M.	28 S SS. Innoc.
29 L Sᵉ Marthe	29 J Sᵉ Sabine	29 D S. Michel	29 M S. Narcisse	29 V S. Saturnin	29 D S. David
30 M Sᵉ Juliette	30 V S. Fiacre	30 L S. Jérôme	30 M S. Bienvenue	30 S S. André	30 L S. Roger
31 M S. Ignace de L.	31 S S. Aristide		31 J S. Quentin		31 M S. Sylvestre

CASLON - Paris (1) 43 42 13 20

***

Activité

Cherchez dans le calendrier les fêtes et les congés. Ils sont marqués en **gras**.

vous avez compris?

1. Comment s'appelle le client? Jeanne Despré. ☐
Jean Doubet. ☐
Jacques Dupré. ☐

2. Il réserve une place d'avion. ☐
de train. ☐
de théâtre. ☐

3. Il réserve pour quelle date? Le 12 juillet. ☐
Le 20 juin. ☐
Le 22 juillet. ☐

4. Il réserve pour quel jour? Samedi. ☐
Lundi. ☐
Mardi. ☐

et pour quelle heure? 13 heures. ☐
3 heures. ☐
16 heures. ☐

5. Il réserve une place fumeur. ☐
non-fumeur. ☐

6. Il réserve un aller simple. ☐
un aller-retour. ☐
une couchette. ☐

7. Il veut aller à Paris. ☐
à Saint-Malo. ☐
à Bordeaux. ☐

8. Est-ce qu'il sait quand il revient? ⃞oui ⃞non

• •

Résumé

Monsieur . . . . . réserve . . . . . pour aller . . .
. . . . Il veut partir . . . . Il prend . . . . . parce
qu'il . . . . . quand il revient.

Le Français moyen

SITUATION

Rencontre chez Michel.

A Michel : Entrez Jacky! Je vous présente Pierre.
    Jacky : Bonsoir Pierre.
    Pierre : Bonsoir Jacky.
    Michel : Jacky est une amie de Cécile, elle est anglaise, elle travaille à Paris. Elle est professeur d'anglais.
    Pierre : Ah! Vous êtes professeur d'anglais?
    Michel : Oui, et c'est un bon professeur.

B Jacky : C'est un compliment! Merci!
    Michel : Non, non, c'est la vérité.
    Pierre : Vous habitez dans la région?
    Jacky : Oui, j'ai une maison pour l'été, pas loin d'ici.
    Michel : Oui, Jacky habite chez les Dupré. Ils sont absents.
    Pierre : Ah bon? Les Dupré ne sont pas en Bourgogne cet été?
    Michel : Ils sont partis au Portugal ou en Italie, je crois.
    Jacky : Oui, j'ai loué la maison pour l'été.

Questions

A *Qui est Cécile?*
Jacky est française ou anglaise?
Quelle est sa profession : professeur ou interprète?
C'est un professeur d'anglais ou de français?

B *Où habite Jacky?*
Chez qui habite Jacky?
Où sont les Dupré?
Jacky a loué la maison pour l'année ou pour l'été?

DÉCOUVREZ les règles

C'est Jacky.
C'est un compliment.
C'est une amie anglaise.
Elle est anglaise.
C'est un ami de Michel.
Il est français.
Elle est professeur d'anglais.
C'est un bon professeur.
C'est une amie de Cécile.
C'est la vérité.

Observez et comparez les phrases qui commencent par **c'est** et par **il est** ou **elle est.**

Elle travaille **à** Paris.
Vous habitez **dans** la région?
Elle habite **chez** les Dupré.
Les Dupré ne sont pas **en** Bourgogne?
Ils sont **au** Portugal ou **en** Italie.

Observez les mots en **gras.**

Ils sont partis au Portugal.
J'ai loué la maison pour l'été.

Observez.

Faites-les parler...

27

MANIÈRES de dire

Relevez dans la ou les situation(s) (p. 26 ou pp. 35 et 36), différentes façons de se saluer, de se présenter, de s'adresser à quelqu'un.

Entre copains
· · · · · ·

Dans la vie professionnelle
· · · · · ·

À VOUS de parler

*Jeu de rôles à quatre personnages :
A et B, C et D.*

A et B sont à la maison.
C arrive avec D. Il présente D à A et B.
A interroge D sur sa profession ou sur sa classe.
D répond.
C fait un compliment.
B interroge D sur son domicile (son lieu d'habitation).
C répond.
A ou B demande si c'est loin.
C répond.

*Jeu de rôles à deux personnages :
A et B.*

A fait le portrait d'une personne connue ou d'un personnage public (indiquez l'âge, le sexe, la nationalité, la profession ou l'occupation, dites s'il a des enfants, précisez son domicile habituel et où il a passé ses vacances).
B doit deviner qui est ce personnage.
A et B peuvent être représentés par des petits groupes d'élèves.

Exercices

1

Il a réponse à tout.

Savez-vous employer « c'est », « il est », « elle est »?

1. – Vous connaissez Jacky?
  – Oui, ... un professeur d'anglais.
  – Jacky est française?
  – Non, ...
2. – Qui est Cécile?
  – . . . . . . une amie de Michel et de Jacky.
  – Jacky travaille?
  – . . . .
3. Pierre est anglais?
  – . . . .
  – C'est un ami de Jacky?
  – . . . .
4. Vous connaissez monsieur Dupré?
  – . . . . . . un ami.
  – . . . . . . professeur de français?
  – Non, ... cardiologue; . . . . . . un bon cardiologue.

2

Europe 92

Employez le verbe qui vous convient : vous êtes libre!

Exemple :
Il est anglais, mais il travaille à Paris.

1. . . . . . . française, ... Barcelone.
2. . . . . . . italien, ... Strasbourg.
3. . . . . . . Italie, ... anglais.
4. . . . . . . italienne, ... Allemagne.
5. . . . . . . France, ... Espagne.
6. . . . . . . espagnole, ... Londres.
7. . . . . . . anglais, ... Portugal.

3

Curriculum vitae de monsieur Dupré

a. 1. Je . . . . . . médecin-cardiologue.
  2. J' . . . . . . à Genève.
  3. . . . . . . travaille pour l'OMS*.
  4. . . . . . . français.
  5. . . . . . . marié, ma femme . . . . . . professeur d'histoire.
  6. J' . . . . . . deux enfants, une fille et un garçon.

b. Vous connaissez monsieur Dupré?

Oui, il . . . . . . , il . . . . , etc.

* Organisation Mondiale de la Santé.

4 **Votre curriculum vitae**

Je . . . .

5 **Dites-le avec le sourire.**

1. Quelqu'un frappe à votre porte, vous dites : « . . . . . . ? »
2. La fenêtre est ouverte, il fait froid, vous dites : « . . . . . . ! »
3. Le téléphone sonne, vous êtes occupé, vous dites à votre ami : « . . . . . . ! »
4. Il fait chaud, la fenêtre est fermée, vous dites : « . . . . . . ! »
5. Vous montrez des photos à un ami, vous dites : « . . . . . . ! »
6. Votre ami ne travaille pas rapidement, vous dites : « . . . . . . ! »

6 **Le professeur en classe**

Voici des phrases que vous entendez souvent.

a. Quand le professeur parle à ses élèves, il dit :
1. « . . . . . . ! » **Répondre** à la question.
2. « . . . . . . ! » **Lire** le dialogue.
3. « . . . . . . ! » **Écouter** la bande.
4. « . . . . . . ! » **Écrire** un poème.
5. « . . . . . . ! » **Regarder** les images.
6. « . . . . . . ! » **Poser** une question.
7. « . . . . . . ! » **Répéter** la phrase.

b. Lequel des ordres ci-dessus entendez-vous très souvent?
« . . . . . . ! »

c. Lequel aimez-vous exécuter?
« . . . . . . ! »

VOTRE grammaire

======= **Trois manières de poser une question** =======

L'intonation

Vous êtes professeur?
Vous habitez à Paris?
Les Dupré ne sont pas en Bourgogne?

Mot interrogatif + verbe + sujet

Qui est-ce?
Où es-tu?
Où êtes-vous?

Qu'est-ce que + sujet + verbe

Qu'est-ce que c'est?
Qu'est-ce qu'il dit?

======= **C'est** =======

C'est

C'est   Jacky.
C'est   un bon professeur.
C'est   une amie anglaise.
C'est   une amie de Cécile.
C'est   un professeur d'anglais.
C'est   la vérité.

« C'est » est suivi d'un nom propre ou d'un article.

======= **Il est, elle est** =======

Il   est   anglais.
Il   est   professeur.
Elle   est   anglaise.
Elle   est   professeur.

« Il » ou « Elle » est suivi d'un adjectif ou d'un nom employé comme adjectif.

======= **Les articles** =======

Définis	Indéfinis
le téléphone **la** piscine **l'**ami(e) **les** amis **les** amies **les** Dupré	**un** ami **une** amie **des** amis **des** amies

Quelques prépositions de lieu

Il travaille	**à**	Paris.
Elle habite	**en**	France.
Il est	**au**	Portugal.
Elle est	**chez**	les Dupré.
Il est	**dans**	la piscine.

Le verbe « avoir » au présent

À la forme affirmative

J'	**ai**	un ami.
Tu	**as**	un chat?
Il/elle	**a**	le téléphone.
Nous	**avons**	de l'argent.
Vous	**avez**	un enfant?
Ils/elles	**ont**	une piscine.

À la forme négative

Je	**n'ai pas**	d'ami(s).
Tu	**n'as pas**	de chat?
Il/elle	**n'a pas**	le téléphone.
Nous	**n'avons pas**	d'argent.
Vous	**n'avez pas**	d'enfant?
Ils/elles	**n'ont pas**	de piscine.

La conjugaison du passé composé

J'	**ai loué**	
Tu	**as loué**	une maison.
Il/elle	**a loué**	une voiture.
Nous	**avons loué**	un téléviseur.
Vous	**avez loué**	
Ils/elles	**ont loué**	un appartement.

Ici, le participe passé est employé avec le verbe « avoir » et il est invariable.

Je	**suis parti(e)**	au Portugal.
Tu	**es allé(e)**	en Bourgogne.
Il/elle	**est allé(e)**	en Italie.
Nous	**sommes allés(ées)**	en Grèce.
Vous	**êtes allés(ées)**	en Espagne.
Ils/elles	**sont allés(ées)**	en Angleterre.

Ici, le participe passé est employé avec le verbe « être » et il s'accorde avec le sujet du verbe.

L'impératif

À la forme affirmative

Écou**ter**	→	écoute écoutez	} le dialogue!
Regar**der**	→	regarde regardez	} la photo!
Pren**dre**	→	prends ton livre. prenez votre livre.	
Écri**re**	→	écris écrivez	} un poème.
Ouv**rir**	→	ouvre ouvrez	} la lettre.
Télépho**ner**	→	téléphone téléphonez	} avant 22 heures!

À la forme négative

| Oubli**er** | → | n'oublie pas
n'oubliez pas | } le rendez-vous! |
| Li**re** | → | ne lis pas
ne lisez pas | } le dialogue! |

VÉRIFIEZ
vos connaissances

a

b

c

Complétez les phrases suivantes et retrouvez les trois dialogues ou situations qui correspondent aux trois dessins.

1 ■ — Pierre, c'est Jacky. Jacky, ... Pierre. Pierre, ... un ami.

2 ■ — Elle travaille . . . . . . Paris.
— Elle est vendeuse . . . . . . parfumerie.

3 ■ — Vous . . . . . . professeur?
— Oui, je . . . . . . professeur . . . . . . anglais.

4 ■ — Vous . . . . . . ici?
— Non, j'. . . . . . Rome.

5 ■ — Les Dupré ne sont pas . . . . . . France?
— Non, ils sont . . . . . . Portugal ou . . . . . . Espagne.

6 ■ — Allô, Annie? C'est Pierre.
— Où . . . . . . ?
— je . . . . . . Odile, une amie.

7 ■ — . . . . . . anglais. Mais il habite . . . . . . Italie.

8 ■ — Michel, vous habitez . . . . . . Pierre?
— Non, non, ... appartement . . . . . . Paris.

9 ■ — Jacky, vous . . . . . . en Bourgogne?
— Oui, j'. . . . . . loué une maison pour l'été pas loin d'ici.

10 ■ — Pierre, vous . . . . . . allé . . . . . . Portugal?
— Non, je . . . . . . en Espagne. Je ne connais pas le Portugal.

Écoutez et distinguez les deux sons [o].

Exemples :

[ɔ] ouvert

La p**o**rte !

Marc, téléph**o**ne !

À R**o**me

[o] fermé

All**ô** ?

Pas un m**o**t !

À Ri**o**

Écoutez et mettez une croix (x) dans la bonne colonne.

	J'entends [ɔ]	J'entends [o]
1		
2		
3		
4		
5		
6		
7		
8		
9		
10		

La vie au quotidien ?
C'est boulot, métro,
dodo.
Et comme repos,
que proposez-vous ?

Un verre d'eau
ou un petit loto
au bistrot voisin.
Et que proposez-vous
encore ?

Pas grand-chose.
Peut-être une promenade
et une limonade
avec les copains
au bord de l'eau.

BASTILLE

Amusement sonore

Il est où ton copain?

Rémi : Qui c'est?

Éric : C'est moi, Éric. Je suis avec un copain.

Rémi : Eh bien entre! La porte est ouverte.

Éric : Salut!

Rémi : Il est où ton copain? Pourquoi il n'entre pas?

Éric : « Ben », il ne parle pas bien français : il est allemand.

Helmut : Salut!

Rémi : Tu es ici en vacances?

Helmut : Non, je travaille, je suis musicien.

Éric : Ah oui! C'est un super guitariste!

Rémi : Et où tu joues de la guitare?

Helmut : Dans le métro.

Rémi : Ça marche bien?

Helmut : Pas mal.

Faites-les parler...

Dans les bureaux de la direction.

Itinéraire *Bis*

Monsieur Roux :	Monsieur Dubreuil est là?
La secrétaire :	Vous avez rendez-vous?
Monsieur Roux :	Oui, je suis François Roux.
La secrétaire :	Monsieur Roux est là.
Le Directeur :	Bonjour, cher ami! Comment allez-vous?
Monsieur Roux :	Très bien. Je suis en avance?
Le Directeur :	Non, non. Je vous présente mon associée, Marie Boli, elle s'occupe du secteur production.
Monsieur Roux :	Enchanté, madame. Vous êtes la fille de René Boli, le promoteur immobilier?
Marie Boli :	Oui, c'est mon père.
Monsieur Roux :	Je connais bien votre père.
Marie Boli :	Oui, vous êtes son banquier, je crois.
Monsieur Roux :	C'est exact.

Faites-les parler...

le portrait-robot du Français moyen

Une abstraction d'après les statistiques

Lui

Taille : 1,72 m
Poids : 75 kilos
Âge moyen : environ 40 ans
Situation de famille : marié

Elle

Taille : 1,60 m
Poids : 60 kilos
Âge moyen : 40 ans environ
Situation de famille : mariée

Eux

Situation de famille : mariés, deux enfants, un animal.
Formation : C.A.P. (certificat d'aptitude professionnelle).
Profession : il est ouvrier, elle est employée.
Salaire : il gagne 8 300 F, elle gagne 6 660 F.

Domicile : ils habitent dans une petite maison individuelle, dans la région parisienne.

Ils ont une petite voiture.

LA FRANCE AU QUOTIDIEN

Quelques métiers bien français

Le boulanger

Il se lève tôt (5 heures du matin) pour préparer le pain et les croissants. Les Français n'aiment pas le pain industriel, ils achètent plutôt le pain à la boulangerie.

Un gardien de square

Il porte un uniforme bleu marine. Il a un sifflet : en France, il est interdit de marcher sur les pelouses. Il est là pour la tranquillité du square.

Toilettage pour chiens

« Au toutou net »
Ici, on lave, on tond, on frise les toutous*.
On vend tout pour le chien : vêtements, jouets...

* toutou : nom familier donné au chien.

Un œnologue

« Goûtons voir si le vin est bon. »
Il goûte les vins.
Il apprécie la couleur, l'odeur et le goût du vin.

Une « pervenche »

Elle travaille pour la police municipale. On l'appelle « pervenche » parce qu'elle est habillée en bleu comme la fleur. Elle met des contraventions aux voitures en stationnement interdit.

LA FRANCE AU QUOTIDIEN

les professions des Français

Voici les catégories socio-professionnelles et la répartition des hommes et des femmes.

LE GRAND CHAMBARDEMENT

Répartition de la population active selon la catégorie socio-professionnelle (en %)*.

	Total	1987 dont femmes	Total	1968 dont femmes
• Agriculteurs exploitants	6,4	5,7	11,5	12,8
• Artisans, commerçants et chefs d'entreprise	8,0	6,7	10,7	11,5
• Cadres supérieurs et professions intellectuelles	9,9	6,5	5,1	2,5
• Professions intermédiaires	20,2	20,1	10,4	11,4
• Employés	26,7	47,7	21,2	38,8
• Ouvriers	28,8	13,3	39,3	22,5
• Autres catégories (pour 1968)	–	–	1,8	0,5
	100,0	100,0	100,0	100,0
Effectifs (en milliers)	21 405	8 982	19 916	7 208

D'après l'INSEE.

* Ces statistiques ne sont pas complètes. Cela est volontaire.

Le nombre des cadres a doublé en 30 ans. Il y a moins d'ouvriers en général, mais plus d'ouvriers qualifiés :
plus de 7 millions d'ouvriers, soit un travailleur sur trois.

(graphique : répartition par catégorie — Professions libérales et cadres supérieurs, Cadres moyens, Employés, Ouvriers, Agriculteurs exploitants, Autres catégories — en %, axe de 0 à 40)

■ 1968   ■ 1983

OACI/ICAO

CARTE INTERNATIONALE D'EMBARQUEMENT / DE DÉBARQUEMENT
INTERNATIONAL EMBARKATION/DISEMBARKATION CARD

En caractères d'imprimerie / Please print

1. M. / Mr.
   Mme / Mrs.
   Mlle / Miss   Nom / Surname

   Nom de jeune fille / Maiden name

   Prénoms / Given names

2. Date de naissance
   Date of birth   Quantième / Day   Mois / Month   Année / Year

3. Lieu de naissance
   Place of birth

4. Nationalité
   Nationality

5. Numéro de passeport
   Passeport number

6. Profession
   Occupation

7. Domicile
   Permanent address

8. Pour les passagers à l'arrivée : port d'embarquement
   For arriving passengers: port of embarkation
   Pour les passagers au départ : port de débarquement
   For passengers leaving: port of disembarkation

RÉSERVÉ A L'ADMINISTRATION
FOR OFFICIAL USE ONLY

Le langage des couleurs

Chez nous, le blanc évoque la pureté ou la paix
On dit « il est blanc comme neige »,
c'est-à-dire qu'il n'est pas coupable.
Le drapeau blanc est un symbole de paix.
Le noir est un signe de deuil ou de tristesse :
quand quelqu'un meurt dans la famille,
on s'habille en noir pour marquer sa peine.
Comme le printemps, symbole de renouveau,
le vert marque l'espoir.
Mais il marque aussi la peur :
« il est vert de peur »
veut dire qu'il a eu très peur.
Le rouge? c'est d'abord la passion;
la rose rouge veut dire « je t'aime ».
Mais cette couleur est également un symbole
révolutionnaire : « le drapeau rouge ».
Pour le Code de la route, le rouge, c'est aussi
le feu rouge : « on doit s'arrêter ».
Si le feu est vert, on peut passer.
Le jaune est un symbole de jalousie ou d'envie.
Le bleu exprime le froid, la peur ou la colère :
« il était bleu de colère »,
cela veut dire qu'il était très en colère.
Oui, les couleurs parlent,
mais leur langage varie d'un pays à l'autre.

Activité

Les couleurs évoquent aussi des objets.

Par exemple, on dit en français :
« bleu comme le ciel » et chez vous?

« Blanc comme . . . . . . »
« Bleu comme . . . . . . »
« Rouge comme . . . . . . »
« Vert comme . . . . . . »
« Jaune comme . . . . . . »
« Noir comme . . . . . . »

Les couleurs sont aussi des symboles.

En France, le blanc est le symbole de la pureté, et chez vous?

Et le rouge? Le vert? Le noir? Le bleu? Le jaune?

• • • • • • • • • • • • • • • •

Voici comment Rimbaud « peint » les voyelles :
« A noir, E blanc, I rouge, U vert, O bleu : voyelles,
Je dirai quelque jour vos naissances latentes. »

Arthur Rimbaud, *Poésies 1870-1871*, Éd. Flammarion, 1989.

• • • • • • • • • • • • • • • •

EST-CE QUE

vous avez compris?

1. Comment s'appelle le jeune garçon?

2. Quel âge a-t-il? Cinq ans. ☐
               Quinze ans. ☐
               Treize ans. ☐

3. Qu'est-ce qu'il va chanter? Une chanson de Renaud. ☐
                          Une chanson de Serge Lama. ☐
                          Une chanson de Barbara. ☐

4. Quel est le titre de la chanson?

5. Le père du jeune garçon est un monsieur avec des lunettes. ☐
                              un monsieur avec une moustache. ☐
                              un monsieur avec une barbe. ☐

6. Le père du jeune garçon est cinéaste. ☐
                      photographe. ☐
                      chorégraphe. ☐

7. La mère du jeune garçon est médecin. ☐
                      chirurgien. ☐
                      infirmière. ☐

8. La mère du jeune garçon est blonde. ☐
                      brune. ☐
                      rousse. ☐

9. Plus tard, le jeune garçon veut être informaticien. ☐
                              chanteur. ☐
                              photographe. ☐
                              infirmier. ☐

10. Dans la chanson, il fait beau. ☐
                    il fait froid. ☐
                    il pleut. ☐

11. Dans la chanson, on parle de peur. ☐

de sœur. ☐

de cœur. ☐

12. Dans la chanson, on parle de pain. ☐

de main. ☐

de faim. ☐

• •

Résumé

. . . . . . est interviewé à la télévision. Il va chanter
. . . . Le jeune garçon . . . . . . ans. Son père
. . . . . . , sa mère . . . . Plus tard, le jeune
garçon veut être . . . . . . ou peut-être . . . .

En France

SITUATION

L'apéritif au bord de la piscine.

A Michel : Pierre ! Qu'est-ce que tu fais ?
Pierre : Un instant ! J'arrive ! Je prépare l'apéritif.
Michel : *(à Jacky)* Il est parfait !
Pierre : Voilà un cocktail-maison. Attention, il est fort !
Jacky : Hum... Merci ! C'est parfait !
Michel : Hum ! Elle est forte, la vodka *(il tousse)*.
Jacky : Vous êtes publicitaire, vous aussi ?
Pierre : Non, je ne suis pas publicitaire, moi !
Jacky : Alors, qu'est-ce que vous faites dans la vie ?
Pierre : Je travaille au Conseil de l'Europe à Strasbourg... Oh, excusez-moi !

B Jacky : Qu'est-ce que vous faites au Conseil de l'Europe ?
Pierre : Je suis interprète.
Jacky : C'est sympathique comme travail ?
Pierre : Oui, j'aime bien ça mais c'est fatigant.
Jacky : C'est fatigant, vous trouvez ?
Michel : Pierre travaille et il a deux enfants à la maison, lui.
Jacky : Moi, je suis célibataire, alors vous comprenez...
Pierre : Vous êtes seule à Paris ?
Jacky : Oui, mes parents sont à Londres, je suis seule ici.
Pierre : Moi aussi, je suis seul.

Questions

A *Où sont Michel et Jacky ?*
Qu'est-ce que Pierre fait ?
Comment est le cocktail ?
Est-ce que Pierre est publicitaire ?
Où est-ce qu'il travaille ?

B *Qu'est-ce que Pierre fait au Conseil de l'Europe ?*
Il aime bien son travail ?
Est-ce-que Pierre est marié ?
Et Jacky, elle est mariée ?
Où habitent les parents de Jacky ?

DÉCOUVREZ les règles

Qu'est-ce que tu fais?
Vous êtes publicitaire, vous aussi?
Qu'est-ce que vous faites dans la vie?
C'est sympathique comme travail?
C'est fatigant, vous trouvez?
Vous êtes seule à Paris?

Observez et comparez
deux types de **questions**.

Vous êtes publicitaire, **vous** aussi?
Je ne suis pas publicitaire, **moi**.
Moi, je suis célibataire.
Il a deux enfants à la maison, **lui**.
Moi aussi, je suis seul.

Observez la place
des **pronoms personnels**.

Il est parfait.
Il est fort.
Elle est forte, la vodka.
C'est parfait.
Jacky est professeur d'anglais.
Vous êtes publicitaire?
Je suis interprète.
C'est sympathique comme travail?
C'est fatigant, la vie d'un interprète.
Je suis célibataire.
Vous êtes seule à Paris?
Je suis seule ici.
Moi aussi, je suis seul.

Observez les **adjectifs**
et les noms pris comme adjectifs.
Quelles règles trouvez-vous?

Faites-les parler...

MANIÈRES de dire

1. Relevez dans la ou les situation(s) (p. 44 ou pp. 53 et 54), différentes manières de poser des questions.

. . . . . .

2. En comparant les trois situations, relevez les différences.

En situation 2, on dit :   *En situations 1 et 3, on dit :*

1. « Je bosse. »   ⟶ . . . . . .
2. « C'est un bon boulot. » ⟶ . . . . . .
3. « C'est crevant. »   ⟶ . . . . . .
4. « Chez une copine. »   ⟶ . . . . . .
5. « J'ai deux mômes. »   ⟶ . . . . . .

À VOUS de parler

Jeu de rôles à quatre personnages :
A et B, C et D.

A et B sont chez eux, à la maison. C arrive avec D.
A et B ne connaissent pas bien D.
A et B propose une boisson.
C refuse.
D accepte.
B fait un commentaire sur la boisson.
C dit qu'il(elle) n'aime pas ça.
D goûte la boisson et fait un commentaire positif.
A demande à D ce qu'il(elle) fait dans la région en ce moment.
D répond.
C donne des précisions.
A et B font un commentaire.

Exercices

1

Trouvez les professions.

1. Il travaille dans une librairie : il est . . . .
2. Elle travaille dans un hôpital : . . . .
3. Je travaille dans une école : . . . .
4. Elle travaille dans un magasin : . . . .
5. Je travaille dans une usine : . . . . . .
6. Je travaille pour un journal : . . . .
7. Elle travaille pour l'État : . . . .

2

Trouvez la bonne question.

Qu'est-ce que vous faites? / Vous êtes . . . . . . ?

1. – . . . . . . ?
   – Je suis professeur de musique.
2. – . . . . . . ?
   – Oui, dans un hôpital.
3. – . . . . . . ?
   – Non, je suis comptable.
4. – . . . . . . ?
   – Je suis commerçante.
5. – . . . . . . ?
   – Je suis fonctionnaire.
6. – . . . . . . ?
   – Non, je suis musicien.

3

Donnez votre point de vue.

Exemple :
Le jazz, j'aime bien ça, c'est intéressant.
ou
Le jazz, je n'aime pas ça, c'est horrible.

1. Les films d'aventures?
. . . . . .

2. Les voyages à l'étranger?
. . . . . .

3. Les vacances en famille?
. . . . . .

4. La musique classique?
. . . . . .

5. Les films américains?
. . . . . .

6. Le sport?
. . . . . .

Choisissez vos adjectifs :
c'est bon
c'est fatigant
c'est beau
c'est intéressant
c'est remarquable
c'est mauvais
c'est désagréable
c'est sympathique
c'est horrible
c'est extraordinaire
. . .

4 Découvrez ce qu'ils aiment.

Le jeu des questions

Préparez trois questions par petits groupes. Vous avez trois minutes.
Ensuite, posez chaque question à un camarade de votre choix.

5 Vive la différence !

1. – Je suis célibataire, moi.
   – . . . . . . , je suis mariée !
2. – Mon ami, il est sympathique, lui.
   – Mais sa femme, ... , elle est fatigante.
3. – Il est ingénieur, ton frère ?
   – Non, ... , il est technicien.
4. – Elle est professeur, ... ?
   – Non, ... , elle est étudiante.
5. – Il est français ?
   – Non, ... , il est espagnol et . . . . . . , je suis américaine.

6 Pour faire un portrait.

a. **Comment imaginez-vous Jacky ?**
1. Comment est-elle physiquement ?
. . . .
2. Quelle personnalité a-t-elle ?
. . . .

b. **Comment imaginez-vous Pierre ?**
1. Comment est-il physiquement ?
. . . .
2. Quelle personnalité a-t-il ?
. . . .

Choisissez vos adjectifs :

petit	intéressant
grand	amical
normal	bavard
blond	intelligent
brun	discret
âgé	charmant
parfait	sentimental

VOTRE grammaire

L'adjectif

L'adjectif change au féminin	L'adjectif ne change pas	Le nom est employé comme adjectif
français(e)	sympathique	médecin
anglais(e)	difficile	professeur
seul(e)	extraordinaire	journaliste
parfait(e)	agréable	peintre
fatigant(e)	horrible	publicitaire
fort(e)		libraire
marié(e)		interprète

Le pronom « ce »/« c' » et l'adjectif

Le métier de publicitaire,
Être interprète,
- c'est fatigant.
- ce n'est pas difficile.
- c'est parfait.
- c'est sympathique.

Les pronoms toniques

moi	nous
toi	vous
lui, elle	eux, elles

Je suis professeur.
Vous êtes publicitaire?

Je suis professeur, **moi**.
Vous, vous êtes publicitaire?
Vous êtes publicitaire, **vous** aussi?

Elle a deux enfants.
Il est technicien.

Elle a deux enfants, **elle**.
Lui, il est technicien.

Les valeurs du présent

Il indique une action qui se passe au moment présent.

— Qu'est-ce que vous faites?
— Je **prépare** l'apéritif.

Il indique une action habituelle.

— Qu'est-ce que vous faites dans la vie?
— Je **travaille** dans une librairie.

LA CONJUGAISON DU VERBE « FAIRE »

Présent	Impératif
je fais	Fais attention!
tu fais	Faites le 19 pour obtenir l'étranger.
il/elle fait	
nous faisons	
vous faites	
ils/elles font	

VÉRIFIEZ

vos connaissances

Complétez les phrases suivantes et retrouvez les trois dialogues ou situations qui correspondent aux trois dessins.

1 ■ — . . . . . vous faites?
— Je . . . . . le café.

2 ■ — Vous . . . . . professeur, vous?
— Non, ... je suis étudiant.

3 ■ — . . . . . dans la vie?
— Je . . . . . un hôpital, je suis infirmière.

4 ■ — . . . . . comme travail?
— Non, très fatigant.

5 ■ — Je travaille dans un restaurant dix heures par jour!
— . . . . . !

6 ■ — Je travaille et j'. . . . . cinq enfants, ... !

7 ■ — Vous êtes . . . . . Odile?
— Non, je suis célibataire et je suis seule ici.

8 ■ — Où habitent vos parents?
— Ils . . . . . Strasbourg. Ils . . . . . pour la CEE. *

* Communauté Économique Européenne.

DÉCOUVREZ les sons

1 ▶ Écoutez et dites si vous entendez une liaison.

Exemples :

C'est une amie (j'entends une liaison).

C'est le téléphone (je n'entends pas de liaison).

	Une liaison	Pas de liaison
1		
2		
3		
4		
5		
6		
7		
8		
9		
10		

2 ▶ Écoutez deux prononciations différentes.

Exemples :

[ɛ] ouvert   [e] fermé.

Qu'est-ce qu'elle f**ai**t?   Th**é** ou caf**é**?

Écoutez et mettez une croix (×) dans la bonne colonne.

	J'entends [ɛ]	J'entends [e]
1		
2		
3		
4		
5		
6		
7		
8		

Amusement sonore

Le ciel se désespère
quand le soleil
se baigne dans la mer.
Et la terre?
Elle a l'air de ne pas s'en faire,
la terre!

En été,
les blés dorés
ont des pensées
d'éternité.

En hiver,
les prairies vertes
perdent la tête
aux premières neiges...

Le Merle Moqueur.

– Tu es parisien, toi?
– Non, je suis marocain et je « bosse » ici.
– C'est quoi, ton métier?
– Je suis peintre.
– C'est un bon « boulot? »
– Oui, mais c'est « crevant ». Qu'est-ce que tu fais, toi?
– Oh moi, pas grand-chose, des petits « boulots » par-ci, par-là. « C'est pas la joie. »
– Tu habites chez tes parents?
– Non, chez une copine, elle est vendeuse à Monoprix.
– Moi, je cherche un appartement : j'ai une femme et deux « mômes ».
– « C'est pas facile. »

Faites-les parler...

Elle adore ça!

Itinéraire
Bis

Lui : Vous êtes peintre, vous aussi?
Elle : Non, non, je ne suis pas peintre.
Lui : Vous habitez Paris?
Elle : Non, mon cabinet est à Paris, mais j'habite Versailles.
Lui : Vous n'aimez pas Paris?
Elle : Tout le monde adore Paris, mais qui peut habiter Paris?
Lui : Mais vous avez un cabinet! Vous êtes médecin?
Elle : Oui, et vous?
Lui : Moi, je suis journaliste.
Elle : Pour quel journal travaillez-vous?
Lui : Pour le *Times,* le journal anglais.
Elle : Alors vous êtes bilingue!
Lui : Ce n'est pas difficile! Ma mère est anglaise et mon père français.
Elle : J'adore l'Angleterre!
Lui : Vraiment? C'est étonnant, pour une Française...

Faites-les parler...

LA FRANCE AU QUOTIDIEN

Chez nous en France

Maintenant, il est difficile de penser la France sans l'Europe. La France est dans la Communauté Économique Européenne (CEE).

Apprenez les noms des pays de la CEE.

Qui dirige les Français?

La France est une République. Depuis 1958, les Français vivent sous la Ve République.

François Mitterrand, président de la République.

Le chef de l'État est le président de la République.
Il est élu pour sept ans.

Le chef du gouvernement est le premier Ministre. Il est nommé par le président de la République.

Edith Cresson, premier Ministre.

La Chambre des députés.

Le Sénat.

Le Parlement est composé de deux chambres :

• La Chambre des députés : les députés sont élus pour cinq ans.

• Le Sénat : les sénateurs sont élus pour neuf ans.

Qui vit en France ?

Il y a 58 millions d'habitants d'après le recensement de 1990.

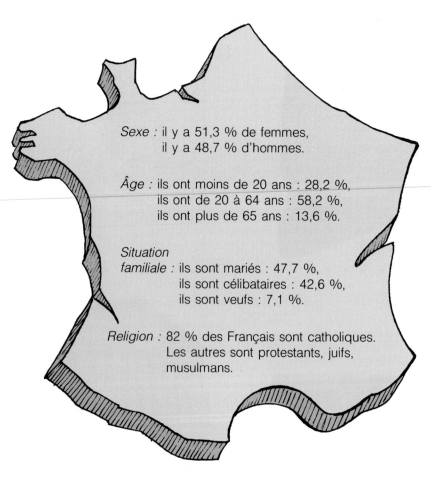

Sexe : il y a 51,3 % de femmes,
il y a 48,7 % d'hommes.

Âge : ils ont moins de 20 ans : 28,2 %,
ils ont de 20 à 64 ans : 58,2 %,
ils ont plus de 65 ans : 13,6 %.

Situation
familiale : ils sont mariés : 47,7 %,
ils sont célibataires : 42,6 %,
ils sont veufs : 7,1 %.

Religion : 82 % des Français sont catholiques.
Les autres sont protestants, juifs,
musulmans.

La population active

Il y a 24 millions de travailleurs en France. 8 % sont des étrangers. 46 % des femmes travaillent.

Quels sont les étrangers qui travaillent en France ? Les Portugais, les Algériens, les Tunisiens, les Marocains, les Espagnols, les Yougoslaves, les Turcs.

Les Algériens sont les plus nombreux. Les Algériens de la deuxième génération sont appelés les « Beurs ».

Cheb Kader.

Activité

MARIEZ-LES

Lui

Il est . . . .

Elle

Elle est . . . .

(nationalité, religion, situation familiale, âge, profession, etc.)

Dites pourquoi ils vont bien ensemble.

. . . .

LA FRANCE AU QUOTIDIEN

Deux jours d'école de Nicolas

Mardi

8 h = latin
9 h = anglais
10 h = E.-P.-S [1]
12 h = fin

____pause midi____

14 h = maths [2]
15 h = maths
16 h = histoire
17 h = fin

Jeudi

8 h = allemand
9 h = dessin
10 h = français
11 h = français
12 h = fin

____pause midi____

14 h = sc. [3] naturelles
15 h = géographie
16 h = musique
17 h = fin

1. Éducation physique et sportive.
2. Mathématiques.
3. Sciences naturelles.

La vie quotidienne de Patrick

66 Je m'appelle Patrick,
J'ai 24 ans.
Je suis plombier.
Je me lève à 7 heures du matin,
c'est tôt !

Je vais à la gare en mobylette ;
mon train est à 8 heures.
Gare du Nord, je prends le métro
jusqu'à la Bastille.

Vers 9 heures 30, j'arrive chez le client.
Je répare tout dans la cuisine
ou la salle de bains.
Je travaille vite et bien.

À midi, je déjeune
dans un petit restaurant,
ce n'est pas cher :
j'ai des tickets-restaurant.

De 14 heures à 18 heures,
je suis au travail.

Et puis, métro, train, mobylette
jusqu'à Asnières.

Les samedis, dimanches, je ne travaille pas,
je bricole chez moi :
j'ai acheté une petite maison
dans la banlieue nord.
Il y a toujours quelque chose à faire :
la peinture, l'électricité,
le jardin. Je n'arrête pas. **99**

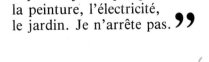

57

1. Cet homme cherche un premier travail. ☐
un nouveau travail. ☐

2. Cet homme est spécialisé en commerce. ☐
en informatique. ☐
en comptabilité. ☐

3. Cet homme veut travailler à l'étranger. ☐
en France. ☐
pour des Français à l'étranger. ☐

4. Cet homme parle couramment espagnol. ☐
anglais. ☐

5. Cet homme parle un peu russe. ☐
chinois. ☐

6. Cet homme veut travailler en Amérique. ☐
dans les pays de la Communauté
européenne. ☐
dans les pays de l'Est. ☐

7. Cet homme habite à Paris. ☐
à Toulouse. ☐
à Bordeaux. ☐

8. Quel nombre est répété deux fois? 05 ☐
60 ☐

· ·

Résumé

Il habite . . . . Il cherche . . . . Il est spécialisé . . . . Il parle couramment . . . . . . et
. . . . . . Il parle un peu . . . . . . et . . . . . . Il veut
travailler . . . . . . pour une société . . . .

« BONS BAISERS » DE PARIS ET DE PROVINCE

SITUATION

Comment trouvez-vous Paris?

A 　Fabienne : Éric, je te présente Carmen, mon amie espagnole.
　　　　Éric : Bonjour.
　　　Carmen : Bonjour, Éric.
　　　　Éric : Vous aimez Paris, Carmen?
　　　Carmen : Bien sûr! J'adore la vie ici : les cafés, les rues, le métro,
　　　　　　　le cinéma, les gens, tout, quoi!
　　Fabienne : Moi, je n'aime pas Paris. Je préfère ma Normandie!
　　　　Éric : Tu n'aimes pas Paris, toi? C'est curieux!
　　　Carmen : Moi, je trouve Paris magnifique!
　　Fabienne : D'accord, mais tu trouves les Parisiens aimables?
　　　Carmen : Pas toujours, mais ils sont drôles.
　　　　Éric : Oui, ils sont amusants!
　　Fabienne : Mais ils ne sont pas gentils.

B 　　　　Éric : Oh! mon professeur d'anglais!
　Le professeur : Tiens! Bonjour Éric, tu vas bien?
　　　　Éric : Bonjour, madame, je vous présente mes amies. Carmen
　　　　　　　est espagnole.
　Le professeur : Comment trouvez-vous Paris, Carmen?
　　　Carmen : J'aime beaucoup Paris! Je trouve Paris superbe, magni-
　　　　　　　fique. Comment dites-vous?... extraordinaire!

• •

Questions

A *Qui est Carmen?*
Est-ce qu'elle aime Paris?
Qu'est-ce qu'elle aime à Paris?
Fabienne préfère Paris ou la Normandie?
Elle trouve les Parisiens gentils?
Et Éric et Carmen, comment trouvent-ils les Parisiens?

B *Est-ce que le professeur dit « tu » ou « vous » à Éric?*
Et Éric, qu'est-ce qu'il dit à son professeur?
Qu'est-ce que le professeur demande à Carmen?
Qu'est-ce qu'elle lui répond?

DÉCOUVREZ les règles

Vous aimez Paris, Carmen?
Comment trouvez-vous Paris?
Tu trouves les Parisiens aimables?
Tu n'aimes pas Paris?
J'adore la vie, ici.
Je n'aime pas Paris.
Je préfère ma Normandie.
Je trouve Paris magnifique.
J'aime beaucoup Paris.

Observez les différences
de construction entre les verbes
aimer, **adorer**, **préférer**
et **trouver**.

Éric : Vous aimez Paris, Carmen?
Éric : Tu n'aimes pas Paris, toi?
Éric : Je vous présente mes amies.
Le prof. : Tiens, Bonjour Éric, tu vas bien?
Fabienne : Éric, je te présente Carmen.
Le prof. : Comment trouvez-vous Paris, Carmen?

Éric dit **vous** à Carmen
et **tu** à Fabienne. Pourquoi?
Observez les autres exemples
de **tu** et de **vous** .

Fabienne : Je te présente **mon** amie espagnole.
Fabienne : Je préfère **ma** Normandie!
Éric : Je vous présente **mes** amies.
Éric : Oh! **Mon** professeur d'anglais!

Observez les **possessifs**.
Avec quel mot s'accorde
l'adjectif possessif?

J'adore **la** vie ici : **les** cafés, **les** rues, **le** métro,
le cinéma, **les** gens.
Tu trouves **les** Parisiens aimables?

Observez les **articles.**

Faites-les parler...

MANIÈRES de dire

*Relevez dans la ou les situation(s) (p. 60 ou pp. 70 et 71), différentes façons d'**apprécier** quelqu'un ou quelque chose.*

Pour interroger quelqu'un sur ses goûts
. . . . . .

Pour exprimer ses goûts
. . . . . .

À VOUS de parler

Jeu de rôles à quatre personnages : A et B, C et D.

A, B, C et D se rencontrent.
A connaît C et présente B à C.
C présente D à A et B.
B est étranger et répond avec difficulté.
C pose une question à B.
B répond qu'il(elle) ne comprend pas.
A explique qui est B.
D pose une question sur B.
A (ou B) répond.
C demande à B comment il trouve le pays.
B répond.

Jeu de rôles à deux personnages : A et B.

A aime beaucoup un endroit (ville, région, pays).
Il parle de cet endroit à B.
B lui pose des questions sur ce qu'il aime dans cet endroit (posez au moins quatre questions).
A répond en disant pourquoi il aime l'endroit.

Exercices

1

Vous aimez ou vous n'aimez pas?

Posez des questions :
a. À un ami.
b. À votre professeur.
c. À un ami ou à votre professeur, mais la question est à la forme négative.
Attention! Utilisez des verbes différents.

1. Voyages
a. . . . . . . ?
b. . . . . . . ?
c. . . . . . . ?

2. Sport
a. . . . . . . ?
b. . . . . . . ?
c. . . . . . . ?

3. Musique
a. . . . . . . ?
b. . . . . . . ?
c. . . . . . . ?

4. Lecture
a. . . . . . . ?
b. . . . . . . ?
c. . . . . . . ?

5. Fleurs
a. . . . . . . ?
b. . . . . . . ?
c. . . . . . . ?

2

J'aime bien... mais je préfère...

Dites ce que vous préférez mais variez les formes.

Montagne : « . . . . . . mais . . . . »
Ville : « . . . . »
Tennis : « . . . . »
Télévision : « . . . . »
Romans policiers : « . . . . »
Cuisine française : « . . . . »

3 **J'aime beaucoup, pas beaucoup, pas du tout.**

1. – Comment trouvez-vous la tour Eiffel?

– . . . .

2. – Comment trouvez-vous le Quartier latin?

– . . . .

3. – Comment trouvez-vous la pyramide du Louvre?

– . . . .

4. – Comment trouvez-vous le métro?

– . . . .

5. – Comment trouvez-vous les Champs-Élysées?

– . . . .

4 **Toujours, pas toujours, jamais.**

1. – Vous êtes aimable avec vos amis?

– . . . .

2. – Vous êtes de bonne humeur?

– . . . .

3. – Vos amis sont sympathiques avec vous?

– . . . .

4. – Vos parents sont compréhensifs avec vous?

– . . . .

5. – Vous êtes aimable avec les étrangers?

– . . . .

6. – Vous êtes gentil avec vos frères et sœurs?

– . . . .

7. – Vos amis sont amusants?

– . . . .

5 **Présentations**

1. Vous présentez Marc à votre camarade de classe.
Vous dites : « . . . . . . ».

2. Vous présentez Carmen et Fabienne à votre professeur.
Vous dites : « . . . . . . ».

3. Vous présentez vos amis à votre père.
Vous dites : « . . . . . . ».

4. Vous présentez votre petit(e) ami(e) à vos camarades de classe.
Vous dites : « . . . . . . ».

5. Vous présentez votre mère à votre professeur de français.
Vous dites : « . . . . . . ».

6. Vous présentez votre professeur de français à votre mère.
Vous dites : « . . . . . . ».

6 | Tu ou vous?

1. Demandez à votre mère comment elle trouve vos amis :
« Maman, ... ? »

2. Demandez à Éric comment il trouve Carmen :
« Éric, ... ? »

3. Demandez à votre professeur comment il trouve votre devoir :
« Madame/Monsieur . . . . . . ? »

4. Demandez à vos camarades de classe comment ils trouvent les différents professeurs :
« . . . . . . ? »

5. Demandez à un étranger comment il trouve votre ville?
« Monsieur, ... ? »

6. Demandez à votre père comment il trouve vos nouveaux disques :
« Papa, ... ? »

7. Demandez à votre ami(e) comment il/elle trouve la méthode de français :
« . . . . . . ? »

8. Demandez à un(e) ami(e) français(e) comment il/elle trouve votre français : « . . . . . . ? »

7 | Posez deux ou trois questions à votre voisin(e) sur ses goûts.

8 | Jeu du cadavre exquis

Jouez par groupes de trois (A, B et C).

A écrit	B écrit	C écrit
« Je trouve » + un nom	un adjectif et	+ un autre adjectif

VOTRE grammaire

Les articles définis

Objet unique	Objet pris dans son sens particulier	Objet pris dans son sens général
la tour Eiffel **le** Louvre **les** Champs-Élysées	**le** métro de Paris **la** pyramide du Louvre **les** rues de la ville	**le** travail **la** vie **les** gens

---

Les possessifs

Mon, ma, mes	Ton, ta, tes	Votre, vos
mon mari **ma** femme **mon** amie **mes** enfants	**ton** fiancé **ta** fiancée **ton** amie **tes** amis	**votre** mari **votre** femme **votre** amie **vos** enfants

Pierre a une femme → **la** femme **de** Pierre → **sa** femme.
Julie a un mari → **le** mari **de** Julie → **son** mari.
Pierre a un ami → **l'**ami de Pierre → **son** ami.
Julie a une amie → **l'**amie **de** Julie → **son** amie.
Nicolas a une sœur → **la** sœur **de** Nicolas → **sa** sœur.
Julie a un frère → **le** frère **de** Julie → **son** frère.
Pierre et Julie ont une amie → **l'**amie **de** Pierre et Julie. → **leur** amie.
Nicolas a des parents → **les** parents **de** Nicolas → **ses** parents.
Nicolas a des amies → **les** amies **de** Nicolas → **ses** amies.
Nicolas et Pierre ont des amies → **les** amies **de** Nicolas et Pierre → **leurs** amies.

L'adjectif possessif s'accorde avec le nom qui le suit.

La fréquence

Toujours	Pas toujours	Jamais
Il travaille **toujours**.	Il **ne** travaille **pas toujours**.	Il **ne** travaille **jamais**.

L'appréciation

Aimer	Préférer	Adorer
J'aime Paris.	Il préfère Rome.	Elle adore Londres.
Vous aimez Paris? Est-ce que vous aimez Paris? Aimez-vous Paris?	Vous préférez Rome?	∅
Je n'aime pas Londres.	∅	∅

Trouver	Nom	Adjectif
Je trouve	les Parisiens	sympathiques.
Il trouve	Paris	fatigant.
Je ne trouve pas	les Parisiens	aimables.
Il ne trouve pas	Paris	fatigant.
Vous trouvez	les Parisiens	aimables?
Comment trouvez-vous	Paris?	
Est-ce que vous trouvez	Paris	fatigant?

À qui dire « tu »? À qui dire « vous »

Tu	Vous	Vous
Tu aimes la province, Fabienne? Tu vas bien?	Vous aimez Paris, Carmen? Je vous présente mes amis.	Vous n'aimez pas la pyramide du Louvre?

On dit « tu » aux personnes qu'on connaît bien. Les jeunes se tutoient presque toujours.
On dit « vous » à quelqu'un qu'on connaît moins, qui est plus âgé ou qui a un statut social supérieur.
On dit « vous » à plusieurs personnes.

> Je dis « tu » à tous ceux que j'aime.
> Je dis « tu » à tous ceux qui s'aiment.
> Jacques Prévert, in « Barbara», *Paroles.*

LA CONJUGAISON DES VERBES AU PRÉSENT

Trouver	Préférer	Dire
je trouve	je préfère	je dis
tu trouves	tu préfères	tu dis
il/elle trouve	il/elle préfère	il/elle dit
nous trouvons	nous préférons	nous disons
vous trouvez	vous préférez	vous dites
ils/elles trouvent	ils/elles préfèrent	ils/elles disent

VÉRIFIEZ
vos connaissances

Complétez les phrases suivantes et retrouvez les trois dialogues ou situations qui correspondent aux trois dessins.

1 ■ – Paul, je . . . . . . sœur Sandrine. Elle . . . . . . journaliste.
– Bonjour, Sandrine.
– . . . . . . , Paul.

2 ■ – . . . . . . Paris?
– J'adore Paris.

3 ■ – Vous . . . . . . pas Paris?
– Non, je . . . .
– C'est curieux!

4 ■ – Comment . . . . . . Notre-Dame?
– Je . . . . . . Notre-Dame . . . .

5 ■ – Comment . . . . . . les Français?
– Ils . . . .

6 ■ – Madame, je . . . . . . amie Dominique. Dominique, ... madame Hay, ma propriétaire.
– Bonjour, Mademoiselle.
– Bonjour, ...

■ Vous êtes en voyage dans une ville. Vous écrivez une carte postale à un(e) ami(e) français(e) en donnant votre appréciation de la ville.
. . . .

DÉCOUVREZ les sons

Écoutez la différence de prononciation [S/Z].

Exemples :

[S] sourd

Vous savez tout?

[Z] sonore

Vous avez tout?

Écoutez et mettez une croix (×) dans la bonne colonne.

	J'entends [S]	J'entends [Z]
1		
2		
3		
4		
5		
6		
7		
8		
9		
10		

· ·

Amusement sonore

Sans question,
ce n'est pas amusant!
Cent questions,
c'est bien lassant!

Mon voisin est médecin

Six patients
pour un médecin
c'est insuffisant

Six enfants
pour ce voisin
c'est épuisant

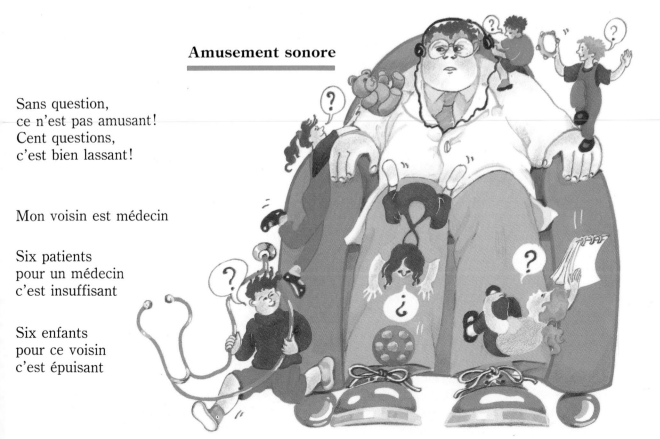

Le métro, j'adore!

Itinéraire
Bis

Helmut : Le métro, j'adore! c'est super.
  Rémi : Ce n'est pas mal, mais il y a trop de monde.
Helmut : Tu n'aimes pas les « pubs » sur les murs?
  Rémi : Et toi, tu aimes les clochards sur les bancs, là?
Helmut : Tu exagères, mon vieux! Les clochards, ils sont « sympas! »
  Rémi : Peut-être, mais ils sont sales.
Helmut : Regarde la « pub », là : elle est « chouette! »
  Rémi : Moi, je n'aime pas beaucoup.
Helmut : Qu'est-ce que tu aimes alors?
  Rémi : Le ciné, la télé, ça, j'adore!

• •

Faites-les parler...

Dialogue des formes.

Lui : Comment trouvez-vous la pyramide du Louvre !
Elle : Très belle ! C'est une merveille !
Lui : Je trouve le constraste ancien-moderne surprenant, un peu choquant.
Elle : Vous n'appréciez pas les contrastes, le « dialogue des formes » ?
Lui : Je préfère l'harmonie des formes.
Elle : Mais, mon cher, moi je trouve ça harmonieux !
Lui : Pas moi, j'aime l'architecture classique. Je n'aime pas l'art moderne.
Elle : Alors, vous n'aimez certainement pas les colonnes de Buren ?
Lui : Je les trouve ridicules.
Elle : Moi, je les trouve insolites.
Lui : Certes !

Faites-les parler...

LA FRANCE AU QUOTIDIEN

Bons baisers de Paris ....

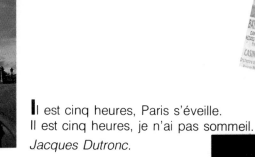

Place de la Concorde.

Il est cinq heures, Paris s'éveille.
Il est cinq heures, je n'ai pas sommeil.
Jacques Dutronc.

Montmartre.

Les escaliers de la Butte
sont durs au miséreux.
Les ailes des moulins
protègent les amoureux.
Chanté par *Mouloudji.*

J'aime flâner sur les grands boulevards...
Chanté par *Yves Montand.*

Le Moulin Rouge.

L'île Saint-Louis a largué ses amarres.
Léo Ferré.

LA FRANCE AU QUOTIDIEN

et de province

Les Alpes.

La mer qu'on voit danser
le long des golfes clairs
a des reflets d'argent,
la mer, des reflets changeants
sous la pluie.
Charles Trenet.

Mon Dieu, que la montagne
est belle!
Comment peut-on imaginer
en voyant un vol d'hirondelle
que l'automne vient d'arriver?
Jean Ferrat.

Douce France,
Cher pays de mon enfance...
Charles Trenet.

Une île
entre le ciel et l'eau, (...)
Belle comme une cible d'or
Tranquille comme un enfant
qui dort
Face à la mer immense (...)
Une île, mon île.
Serge Lama.

Paysage de Bourgogne.
Belle-Île.

Activité

Choisissez une image qui représente le Paris ou le coin de France que vous aimez, ou que vous imaginez ou dont vous rêvez.

En petits groupes, dites pourquoi vous avez choisi cette image.

Regardez-les vivre !

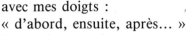

Chez eux, on ne parle pas
avec les mains,
chez eux, on ne dit rien
avec les mains, et chez moi ?
Je parle avec tout mon corps !
je dis « salut » avec les yeux,
je dis « au revoir » avec la main,
je dis « merci » avec un sourire.
J'explique ma vie
avec mes doigts :
« d'abord, ensuite, après... »
Je touche mes cheveux et mes lèvres,
je prends mon visage dans mes mains :
« Comment faire ?
Quelle est la solution ? »
Je me frappe le front :
« Eurêka, j'ai trouvé la solution. »
Je serre la main à mes copains,
j'embrasse deux fois, trois fois,
parfois même quatre,
toutes les filles de mon âge
et aussi tous les garçons,
si je suis une fille.

EST-CE QUE

vous avez compris?

1. Radio-Paris est une radio locale. ☐
une radio libre. ☐
une radio nationale. ☐

2. Le journaliste veut savoir ce que la touriste pense des étrangers. ☐
des Parisiens. ☐
de Paris. ☐

3. La touriste vient à Paris pour la première fois. ☐
la deuxième fois. ☐
la cinquième fois. ☐

4. La touriste dit qu'elle préfère l'Arc de Triomphe. ☐
la tour Eiffel. ☐
le Louvre. ☐

5. La touriste aime les quartiers populaires. ☐
chics. ☐
bourgeois. ☐

6. La touriste a visité un quartier du 16e arrondissement. ☐
du 15e arrondissement. ☐
du 13e arrondissement. ☐

7. Ce quartier est très cosmopolite. oui non

8. La touriste trouve les grands magasins et les restaurants
bon marché. ☐
chers. ☐
trop chers. ☐
beaucoup trop chers. ☐

9. La touriste a dîné à « La Tour d'Argent ». ☐
a consulté les prix à « La Tour d'Argent ». ☐
a payé un melon 180 F. ☐

10. La touriste trouve les Mac Donald très bon marché. ☐
très bien. ☐
affreux. ☐

Résumé

La touriste est interviewée par un journaliste de
. . . . Le journaliste veut savoir ce qu'elle
. . . . C'est . . . . . . qu'elle vient à Paris. Elle aime
tous les monuments mais elle préfère . . . . Elle
aime aussi . . . . Ce matin, elle a visité . . . .
Ce quartier est . . . . La touriste trouve les
grands magasins et les restaurants . . . . . . Elle est
entrée à . . . . . . pour . . . . Une tranche de
melon coûtait . . . . La touriste dit qu'elle
. . . . . . les Mac Donald. Elle trouve ces restaurants
. . . .

50 MILLIONS DE CONSOMMATEURS

SITUATION

À la terrasse d'un café.

A

Le serveur : Qu'est-ce que vous prenez?

Fabienne : Vous avez des sandwiches?

Le serveur : On a seulement des sandwiches au fromage.

Fabienne : Et des croissants? Est-ce que vous avez des croissants?

Le serveur : Non, madame, il n'y a plus de croissants, à midi.

Fabienne : Alors, donnez-moi un sandwich au fromage et... de l'eau fraîche. Oui, je voudrais de l'eau.

Le serveur : Il y a du vin et de la bière fraîche aussi, si vous voulez.

Fabienne : Non, je ne bois pas d'alcool, à midi.

B

Un autre client : Monsieur, s'il vous plaît.

Le serveur : Tout de suite, j'arrive... *(À Fabienne)* alors de l'eau? Seulement de l'eau?

Fabienne : Oui, donnez-moi une bouteille d'eau minérale.

Le serveur : Ah bon, je préfère! Et pour vous, monsieur?

Éric : Euh...

Fabienne : Eh bien, dépêche-toi! Qu'est-ce que tu veux?

Éric : Vous n'avez pas de tartes aux pommes?

Le serveur : Non, monsieur. On n'a que des sandwiches ou des croque-monsieur.

Éric : Bon, je prends un croque-monsieur et puis un verre de lait, un lait froid, s'il vous plaît.

• •

Questions

A *Qu'est-ce que Fabienne demande au serveur?*
Est-ce qu'il y a des croissants?
Est-ce-que Fabienne boit de l'alcool à midi?
Alors, qu'est-ce qu'elle boit?
Dans un café français, qu'est-ce qu'il y a à boire?

B *Qu'est-ce que Fabienne demande au serveur?*
Et Éric, qu'est-ce qu'il lui demande?
Il y a de la tarte aux pommes?
Qu'est-ce qu'Éric prend?

DÉCOUVREZ les règles

Vous avez des sandwiches?
Vous avez des croissants?
Donnez-moi de l'eau fraîche.
Donnez-moi une bouteille d'eau.
Vous n'avez pas de tartes aux pommes?
Je prends un croque-monsieur et un verre de lait.
Un lait froid, s'il vous plaît.
Qu'est-ce que vous prenez?
Et pour vous?

Observez les différentes formes de la **demande**.

Vous avez **des** sandwiches?
Vous avez **des** croissants?
Il **n**'y a **plus de** croissants.
Donnez-moi **de l'**eau fraîche.
Il y a **du** vin et **de la** bière.
Je **ne** bois **pas d'**alcool.
Donnez-moi **une** bouteille d'eau.
Vous **n**'avez **pas de** tartes?
On **n**'a **que des** sandwiches.
On a **seulement des** sandwiches au fromage.

Observez les mots en **gras**.

. . . .

Faites-les parler...

MANIÈRES de dire

*Relevez dans la ou les situation(s) (p. 78 ou
pp. 86 et 87), différentes manières de **demander**
et différentes manières d'**indiquer la quantité**.*

Pour indiquer la quantité   Pour demander
. . . .

À VOUS de parler

*Jeu de rôles à deux personnages :
client et serveur.*

Le client est au restaurant et demande la carte.
Il demande quelque chose au serveur.
Le serveur est désolé et répond négativement.
Le client demande autre chose.
Le serveur est énervé et répond négativement.
Le client demande encore quelque chose.
Le serveur se fâche.
Le client réagit à sa façon.

*Jeu de rôles à deux personnages :
le père et l'enfant.*

L'enfant rentre chez son père.
Il dit qu'il a une bonne note en français.
Le père le félicite.
L'enfant demande à son père de lui acheter un jeu.
Le père demande combien ça coûte.
L'enfant répond.
Le père trouve que c'est cher.
L'enfant demande autre chose.
Le père est d'accord.
L'enfant remercie le père.

*Utilisez des formes différentes pour chaque demande et
chaque réponse.*

Exercices

1

Faites votre menu.

1. Le soir, à l'apéritif, qu'est-ce que vous prenez?

Moi, je prends...
| whisky (m)
| champagne (m)
| porto (m)
| pastis (m)
| orangina (m)
| vin blanc (m)

2. Et comme hors-d'œuvre?

soupe (f)   pâté (m)
carottes râpées (f)   sardines (f)
saumon fumé (m)

3. Comme plat principal et comme légumes?

viande (f)   purée (f)
poisson (m)   haricots verts (m)
frites (f)

4. Et après?

salade (f)   tarte (f)
fromage (m)   glace (f)
fruits (m)

5. Comme boisson?

vin (m)
eau (f)
bière (f)

2

Trouvez la question.

1. Au café :
Q : – . . . . . . ?
R : – Voilà, un jambon-beurre.
Q : – . . . . . . ?
R : – Je veux bien une bière.

2. Au lycée :
Q : – . . . . . . ?
R : – Je te prête 50 F, pas plus.
Q : – . . . . . . ?
R : – Ah non! pas mon disque de Goldman.
Q : – . . . . . . ?
R : – Elvis, oui d'accord pour Elvis Presley, c'est un vieux disque
de mon père!

3. À la parfumerie :
Q : – . . . . . . ?
R : – Non, nous n'avons pas d'aspirine, Monsieur, ici c'est une
parfumerie.

3 **Dépêchez-vous, on ferme!**

Ne... plus / ne... pas

1. – Vous avez des lys?
   – Non, ...
2. – Et des lilas blancs?
   – Non, ...
3. – Donnez-moi des roses rouges.
   – Désolé, nous . . . .
   – Alors, donnez-moi des violettes.

4 **Qu'est-ce que tu veux?**

1. – . . . . . .? . . . . . . chaussures? . . . . . . chemise? . . . . . . blouson?
   – Je ne veux . . . . Mais offre-moi . . . .
2. – . . . . . .? . . . . . . chocolat, ... thé, ou . . . . . . café?
   – Le matin, je prends . . . .
3. – . . . . . .? . . . . . . verre de coca ou . . . . . . tasse de thé?
   – Donne-moi . . . . . . , je ne bois . . . .
4. – . . . . . .? . . . . . . bière ou . . . . . . eau?
   – À midi, je . . . . . . , je ne prends . . . .
5. – . . . . . .? . . . . . . haricots verts ou . . . . . . frites?
   – Le soir, je ne mange . . . . . . ; donnez-moi . . . .

5 **Prêtez-moi...**

Vous refusez de prêter la chose demandée, vous expliquez pourquoi et vous proposez autre chose.

1. – Vous pouvez me prêter des disques de musique classique?
   – . . . .
2. – Tu me prêtes ta moto?
   – . . . .
3. – Je reçois des amis, pourriez-vous me prêter de la vaisselle?
   – . . . .
4. – Je fais une fête chez moi, prête-moi tes cassettes.
   – . . . .
5. – Pourriez-vous me prêter un stylo?
   – . . . .

VOTRE grammaire

Différentes manières de poser une question

Intonation

Phrase affirmative
Vous avez des sandwiches?

Phrase négative
Vous n'avez pas de sandwiches?

Est-ce que
Est-ce que vous avez des croissants?

Inversion du sujet
Avez-vous des croissants?

L'impératif peut être utilisé pour demander quelque chose

Quand on dit « vous »
Donnez-moi une bouteille d'eau.
Faites-moi un bouquet.

Quand on dit « tu »
Donne-moi ton walkman.
Fais-moi un cadeau.

Les partitifs (pour indiquer une certaine quantité)

Quantité non comptable

Phrase affirmative
du, de la, de l'
Il y a **du** vin et **de l'**eau.

Phrase négative
pas de, pas d'
Il n'y a **pas de** vin.
Il n'y a **pas d'**eau.

Quantité comptable

Phrase affirmative
un, une, des
Vous avez **un** stylo?
Donnez-moi **une** tasse.
Il y a **des** sandwiches.
J'ai **des** amis.

Phrase négative
pas de, pas d'
Je n'ai **pas de** stylo.
Je n'ai **pas de** tasse.
Il n'y a **pas de** sandwiches.
Je n'ai **pas d'**amis.

Il n'a pas d'argent.

Il n'a plus d'argent.

Pas de / plus de

« Plus de » renvoie à un moment précédent. Il contient une idée de temps.
Attention : on ne peut pas combiner « pas de » et « plus de ».

L'expression de la quantité

La quantité précisée par des chiffres
un, deux, trois, quatre sandwiches

La quantité précisée par des mots
une bouteille d'eau
un verre de lait
une tasse de thé

LA CONJUGAISON DES VERBES AU PRÉSENT

Pouvoir	**Devoir**	**Vouloir**	**Boire**	**Prendre**
Je peux	Je dois	Je veux	Je bois	Je prends
Tu peux	Tu dois	Tu veux	Tu bois	Tu prends
Il/elle peut	Il/elle doit	Il/elle veut	Il/elle boit	Il/elle prend
Nous pouvons	Nous devons	Nous voulons	Nous buvons	Nous prenons
Vous pouvez	Vous devez	Vous voulez	Vous buvez	Vous prenez
Ils/elles peuvent	Ils/elles doivent	Ils/elles veulent	Ils/elles boivent	Ils/elles prennent

VÉRIFIEZ

vos connaissances

a

Complétez les phrases suivantes.

1 ■ – . . . . . . timbres.
– Combien de timbres ?
– . . . . . . trois timbres et . . . . . . enve-
loppes. . . . . . . enveloppes ?
– Trois enveloppes aussi ?
– Oui, trois enveloppes et trois timbres.
– 9,60 francs, monsieur.
– Merci, mademoiselle.

2 ■ – . . . . . . lait frais ?
– Un litre ?
– Non, un demi-litre et . . . . . . eau minérale, vous . . . . . . ?
– Vittel ou Évian ?
– Peu importe ! . . . . . . aussi . . . . . .
bière. Oui, ... bouteille de bière.
– On n'a . . . . . . bière, madame. Il y a
. . . . . . lait, ... eau, ... coca,
des jus de fruits, mais il n'y a . . . . . .
alcool.

b

3 ■ – . . . . . . tomates ?
– Oui, madame. Mais elles ne sont pas
mûres.
– Et . . . . . . laitues, il y a . . . . . . laitues ?
– Ah ! non, je . . . . . . ai . . . . . . laitues,
j'ai tout vendu ce matin !
– Ah ! Décidément, je . . . . . . ai . . . . . .
chance !

DÉCOUVREZ les sons

La prononciation familière

1 ▶ Le « **e** » tombe parfois.

« Je ne sais pas » peut se prononcer « **Je n' sais pas** ».

« Pas de croissants » peut se prononcer « **Pas d' croissants** ».

« Plus de bière » peut se prononcer « **Plus d' bière** ».

2 ▶ « Il y a des sandwiches » peut se prononcer « **Ya des sandwiches** ».

3 ▶ Le « **u** » de « **tu** » tombe devant une voyelle.

« Tu as de l'argent? » peut se prononcer « **T'as d'l'argent?** »

4 ▶ La négation « **ne** » tombe parfois.

« Tu n'as pas d'argent » peut se prononcer « **T'as pas d'argent** ».

Amusement sonore

Pour les filles et les gars
du matin jusqu'au soir
« Ya » partout du bonheur
des rires et des chants
« Ya » d'l'espoir
« Ya » des rêves
« Ya » d'la joie
Toujours « Ya » d'la joie.

Je n'ai pas d'argent.

Itinéraire
Bis

Marc : Eh salut Thierry! Tu prends le métro?
Thierry : Oui.
Marc : Tu n'as pas de tickets, toi?
Thierry : Non, j'ai la carte orange.
Marc : Moi, je n'ai pas de tickets et je n'ai pas d'argent.
Thierry : Tu n'as qu'à sauter!
Marc : Ah non, je ne veux pas! Tu as de l'argent, toi?
Thierry : Combien tu veux?
Marc : Donne-moi trente francs, tu peux me passer trente balles, jusqu'à demain?
Thierry : Et toi, tu peux me passer ton walkman jusqu'à demain?
Marc : Et puis quoi encore? Bon, salut et à demain!
Thierry : Et n'oublie pas mes trente balles, hein?

Faites-les parler...

Avez-vous des lilas?

Cliente : Bonjour, monsieur. Avez-vous des lilas?
Vendeur : Ce n'est pas la saison, madame.
Cliente : Alors des lys, est-ce que vous avez des lys?
Vendeur : Oui, regardez, ils sont très beaux en ce moment.
Cliente : Ils sentent bon?
Vendeur : Allez-y, sentez. Ils sont superbes.
Cliente : Bon alors, je prends sept lys : quatre jaunes et trois blancs.
Vendeur : Vous voulez de la verdure?
Cliente : Oui, faites-moi un beau bouquet blanc, jaune et vert! Je vous dois combien?
Vendeur : Cent douze francs, madame. Au revoir!

Faites-les parler...

1. La scène se passe à Paris dans le cinquième arrondissement. ☐
dans le seizième arrondissement. ☐
dans le dixième arrondissement. ☐

2. La scène se passe dans une boulangerie. ☐
dans une épicerie. ☐
dans une boucherie. ☐

3. La scène se passe un lundi matin. ☐
un samedi matin. ☐
un mardi matin. ☐

4. Il est dix heures du matin. ☐
onze heures du matin. ☐
onze heures trente. ☐

5. Le patron du magasin est vieux. ☐
jeune. ☐

6. Le patron du magasin est français ☐
brésilien. ☐
tunisien. ☐

7. La vieille dame dit « tu » au patron. ☐
« vous » au patron. ☐

8. Elle prend de la sauce tomate pour la mettre avec le jambon. oui non

9. La vieille dame paie 25 francs 60. ☐
27 francs 50. ☐
20 francs 75. ☐

• •

Résumé

À Paris, dans . . . . . . une vieille dame fait ses courses. C'est . . . . . . , il est . . . . Le patron est un
. . . . . .
La vieille dame lui demande . . . . . . et . . . . Elle
prend aussi . . . . . . et . . . . Ce qui est parti-
culier, c'est qu'elle dit . . . . . . au patron. La vieille
dame paie . . . .

Tu es libre ce soir?

SITUATION

Qu'est-ce qu'on fait ce soir?

A Fabienne : Qu'est-ce qu'on fait ce soir? On sort?

Éric : On va où? On va à la discothèque?

Fabienne : Non, on va au restaurant, aux *Papillons*.

Éric : Les *Papillons*? C'est un bon restaurant, ça?

Fabienne : Il n'est pas cher, en tout cas.

Éric : Pas cher, pas cher! Qu'est-ce que ça veut dire, pour toi?

Carmen : Ça veut dire 100 francs par personne environ?

Fabienne : Mais non! On va prendre le menu. On va dépenser 50 francs par personne, au maximum!

B Carmen : Éric, est-ce que vous pouvez dépenser 50 francs, ce soir?

Éric : J'ai un peu d'argent sur moi mais pas assez pour sortir souvent. J'ai seulement 400 francs par mois, alors, vous savez...

Carmen : 400 francs par mois? Ce n'est pas beaucoup. Qu'est-ce qu'on peut faire avec ça?

Fabienne : Allez, ne t'inquiète pas! Carmen et moi, on t'invite. Tu es d'accord, Carmen?

Carmen : Pourquoi pas?... Volontiers! On peut aller aux *Papillons*.

• •

Questions

A *Fabienne, Carmen et Éric sortent; où vont-ils?*
Qui a proposé d'aller au restaurant?
Et Éric, qu'est-ce qu'il a proposé?
Pourquoi est-ce qu'il préfère la discothèque?
Combien vont-ils dépenser par personne au restaurant?

B *Est-ce qu'Éric a de l'argent?*
Il a combien par mois?
Est-ce qu'il va payer son dîner?
Qui a proposé de l'inviter?

DÉCOUVREZ les règles

Qu'est-ce qu'on fait ce soir?
C'est un bon restaurant?
Qu'est-ce que ça veut dire?
On sort?
Qu'est-ce qu'on peut faire avec ça?
Tu es d'accord, Carmen?
Est-ce que vous pouvez dépenser 50 francs?
On va où?

Comparez les questions
en fonction des réponses possibles.
Qu'est-ce que vous observez?

Qu'est-ce qu'**on** fait ce soir?
On sort?
On va au restaurant.
Qu'est-ce qu'**on** peut faire avec ça?
On va dépenser 50 francs.
On t'invite.

Observez le pronom **on**.
Est-ce que **on** a le même sens
dans toutes les phrases?
Pouvez-vous dire qui
le pronom **on** désigne
dans chacune des phrases?

On **va** au restaurant.
On **va** prendre le menu.
On **va** dépenser 50 francs.
On **va** à la discothèque?
On **va** aux *Papillons*.

Observez les constructions.
Est-ce que la forme **va**
a le même sens
dans toutes les phrases?
Quelle est la différence?

Qu'est-ce que ça **veut** dire?
Est-ce que vous **pouvez** dépenser 50 francs?
Qu'est-ce qu'on **peut** faire avec ça?
On **peut** aller aux *Papillons*.

Observez la forme qui suit
les verbes en **gras**.

Faites-les parler...

Ne **t'**inquiète pas.
On **t'**invite.

Observez les verbes
et le pronom **t'**.

a. Il a 100 francs, il a **un peu** d'argent.
Elle a 1 000 francs, elle a **beaucoup** d'argent.
b. Avec 100 francs, il n'a **pas assez** d'argent
pour inviter ses amies au restaurant.
Avec 1 000 francs, elle a **assez** d'argent pour
inviter ses amis au restaurant.

Observez différentes manières
d'exprimer la quantité.
Quelle est la différence
entre les deux séries **a** et **b?**

Je n'ai pas assez d'argent **pour** sortir.
Qu'est-ce que ça veut dire **pour** toi?
100 francs **par** personne environ?
J'ai seulement 400 francs **par** mois.

Observez les emplois
de **pour** et **par**.

La vie est une cerise.
La mort est un noyau.
L'amour un cerisier.

J. Prévert

Ma plus belle histoire
d'amour, c'est vous !

Barbara

On ne voit bien qu'avec le cœur.
L'essentiel est invisible pour les yeux.

A. de Saint-Exupéry

MANIÈRES de dire

1. *Relevez dans la ou les situation(s) (p. 94 ou pp. 105 et 106), différentes manières de* **faire une proposition***.*

. . . . . .

2. *Comparez les différences de formulation dans les situations 2 et 3.*

. . . . . .

À VOUS de parler

*J*eu de rôles à deux personnages :
A et B vont sortir le soir et ne sont pas d'accord.

A demande où ils vont aller.
B n'a pas d'idée précise.
A fait une proposition.
B n'est pas d'accord et donne une raison.
A demande à B ce qu'il veut faire.
B propose deux sorties.
A dit que l'une des deux sorties est trop chère.
B invite A en disant qu'il a de l'argent.
A répond.

*J*eu de rôles à deux personnages :
deux élèves sortent de l'école.

A propose à B d'aller faire un flipper.
B répond qu'il ne peut pas.
A demande pourquoi.
B donne une raison.
A demande des précisions.
B explique.
A donne son point de vue.

Exercices

1

Trouvez la bonne question.

Qu'est-ce que . . . . . . ? /est-ce que . . . . . . ?

1. – . . . . . . ?
– Nous allons au *Temps des Cerises*.
2. – . . . . . . ?
– Je vais prendre le menu, ce n'est pas cher.
3. – . . . . . . ?
– Non, j'ai seulement 30 F.
4. – . . . . . . ?
– Pas cher? ça veut dire 50 F par personne au maximum.
5. – . . . . . . ?
– Non, je ne peux pas payer l'addition, je n'ai pas assez d'argent.
6. – . . . . . . ?
– Avec ça? On peut payer un menu dans un restaurant pas cher.

2

Faites des projets!

Lycée – travail – cinéma – restaurant – concert – piscine – étudier – lire – écouter de la musique – passer un examen – faire du sport – prendre des vacances – acheter un disque – université – plage – campagne – etc.

1. Ce matin, ...
2. Cet après-midi, ...
3. Ce soir, ...
4. Demain, ...
5. La semaine prochaine, ...
6. L'été prochain, ...
7. L'année prochaine, ...
8. Aujourd'hui, ...

3

Jeu du cadavre exquis

Jouez par groupes de quatre.

A écrit	B écrit	C écrit	D écrit
un indicateur de temps (ce soir, demain, ...) + « je vais »	un verbe à l'infinitif	un nom	une indication de lieu

4 Ils ont de la chance!

1. L'année prochaine, Cécile et Odile . . . . . . Brésil, elles aiment beaucoup le Brésil.

2. Les Langlois, eux, ... Allemagne, ils préfèrent l'Allemagne.

3. Moi, cet été, ... Paris, j'aime Paris!

4. Rémi, lui, ... Angleterre, il aime bien l'Angleterre.

5. – Vous . . . . . . cet été?
   – Ah non! le Maroc en été, c'est trop chaud!

6. – Et toi, Éric, tu restes . . . . . Paris, cet été?
   – Non, cet été, ... Irlande avec des amis.

7. – Chéri, on . . . . . Portugal?
   – Le Portugal? Mais c'est très loin!
   – Tu préfères rester . . . . . . toi?
   – Non, mais je ne veux pas . . . . . . Portugal.

8. – Ce soir, je . . . . . Odile, tu viens avec moi?
   – Ah non, moi, je . . . . . . cinéma, je ne peux pas . . . . . . Odile.

5 Donnez votre opinion en utilisant « c'est beaucoup, pas beaucoup, assez, pas assez, assez pour... ».

1. Un cadre supérieur gagne 24 000 F par mois.
   . . . . . .

2. Un dîner au restaurant coûte 150 F par personne.
   . . . . . .

3. Une place de cinéma coûte 40 F.
   . . . . . .

4. Un studio coûte 3 500 F par mois.
   . . . . . .

5. Un professeur de lycée gagne 9 000 F par mois.
   . . . . . .

6. Un commerçant travaille dix heures par jour.
   . . . . . .

7. Un enfant regarde la télévision quatre heures par jour.
   . . . . . .

8. Un médecin a douze patients par jour.
   . . . . . .

6 Qu'est-ce qu'on fait ce soir?

Faites des propositions d'activités. Mais attention! Variez les formes!

1. A votre camarade, après la classe.
   . . . . . . ?

2. A vos parents, pour les vacances.
   . . . . . . ?

3. A vos frères/sœurs, pour la Fête des Mères.

. . . . . . ?

4. A votre professeur, pour la classe de français.

. . . . . . ?

5. A un étranger qui visite votre ville.

. . . . . . ?

6. A vos amis, pour le week-end.

. . . . . . ?

7. A votre ami(e), pour ce soir.

. . . . . . ?

8. A quelqu'un qui aime le théâtre.

. . . . . . ?

7 **Vous êtes d'accord ou vous n'êtes pas d'accord.**

Répondez aux propositions suivantes en disant pourquoi vous acceptez ou vous refusez.

1. – On va à la discothèque ce soir?

– . . . .

2. – Tu viens à la piscine à 17 heures?

– . . . .

3. – Vous voulez prendre le train pour aller à Paris?

– . . . .

4. – On peut faire du baby-sitting pour gagner de l'argent?

– . . . .

5. – On va au restaurant ce soir?

– . . . .

6. – On peut téléphoner à Pierre pour sortir avec lui?

– . . . .

7. – Vous ne voulez pas aller en Amérique cet été?

– . . . .

8. – On sort ce soir?

– . . . .

VOTRE grammaire

Les verbes suivis de l'infinitif

Je ne peux pas   payer.
   Vous pouvez   dépenser 50 F?
   Vous pouvez   réserver une table?
Où voulez-vous   aller?

Combien voulez-vous   dépenser?
   Qu'est-ce qu'on peut   faire?
Qu'est-ce que vous voulez   faire?
  Qu'est-ce que vous allez   faire?

Le verbe « aller »

Le verbe « aller » au sens plein

On **va** à la discothèque.
On **va** au restaurant.
Vous **allez** en Italie?
Je **vais** aux Champs-Élysées.

Le verbe « aller » employé dans le futur proche

On **va** prendre le menu.   Je **vais** payer.
On **va** payer.   Je **vais** venir.
On **va** aller au restaurant.   Tu **vas** réserver.
   Vous **allez** partir?

« On » et « nous »

« On » peut signifier « nous »

On va dépenser 50 F (nous allons dépenser 50 F).

« On » peut signifier « les gens » en général ou « quelqu'un ».

En France, on dîne vers 20 heures (les gens dînent vers 20 heures).
On frappe à la porte (quelqu'un frappe à la porte).

La quantité

un peu de thé   **beaucoup de** thé   **trop de** thé   C'est **assez** (pour)

Ce n'est pas **assez** (pour...)
Ce n'est pas **beaucoup** (pour...)
C'est **trop** (pour...)

L'impératif négatif

N'oublie pas.
Ne **t'**inquiète pas.   *Le verbe « s'inquiéter » est un verbe pronominal.*
Ne **vous** inquiétez pas.   *Ce type de verbe s'emploie toujours avec un pronom objet.*

LA CONJUGAISON DES VERBES AU PRÉSENT

Sortir	**Savoir**	**Aller**
Je sors	Je sais	Je vais
Tu sors	Tu sais	Tu vas
Il/elle/on sort	Il/elle/on sait	Il/elle/on va
Nous sortons	Nous savons	Nous allons
Vous sortez	Vous savez	Vous allez
Ils/elles sortent	Ils/elles savent	Ils/elles vont

a

b

Complétez les phrases suivantes.

1 ■ – On sort? Qu'est-ce que vous voulez
. . . . . . ?
– On . . . . . restaurant.

2 ■ – Où . . . . . aller?
– . . . . . peut . . . . . cinéma.

3 ■ – Combien . . . . . . dépenser?
– Pas . . . . . . 50 F au maximum.

4 ■ – Vous . . . . . . venir avec nous?
– Non, je ne suis pas libre, ce soir.

5 ■ – Ça coûte . . . . . . ?
– 120 F.
– On n'a . . . . . . argent.

6 ■ – Vous proposez une sortie à des amis. Ils
n'ont pas le téléphone. Faites une proposition écrite.
. . . .

7 ■ – Je n'ai pas . . . . . . d'argent . . . . . .
sortir, ce soir.
– Ne t'inquiète pas! Je . . . . . . invite.

8 ■ – Combien ça coûte?
– Le menu? 50 F . . . . . . personne, ce
n'est pas cher.
– Oui, mais moi, j'ai seulement 100 F
. . . . . .   semaine, alors, c'est cher
. . . . . . moi!

DÉCOUVREZ les sons

1 ▶ Voici des propositions. Écoutez l'intonation.

Comparez les intonations : dites si celui / celle qui parle propose quelque chose ou décide quelque chose.

Exemples :
Proposition : on sort?
Décision : on va au restaurant.

Mettez une croix (x) dans la colonne qui correspond.

	Il/elle propose	Il/elle décide
1		
2		
3		
4		
5		
6		
7		
8		
9		
10		

2 ▶ Écoutez la différence entre la nasale [õ] et la nasale [ã].

Exemples :

Nasale [õ]	Nasale [ã]
Hum... c'est bon!	Comment? Cent francs?
Oh! Pardon!	Ce grand appartement?
On monte?	Cent francs seulement?

3 ▶ Écoutez la différence entre « bon » [õ] et « bonne » [ɔn].
Mettez une croix (×) dans la bonne colonne.

	J'entends [õ]	J'entends [ɔn]
1		
2		
3		
4		
5		
6		
7		
8		
9		
10		

Amusement sonore

Qui sonne?
il n'y a personne.
Qui monte?
Qui descend?
Qui m'attend?
Qui m'entend?
mais voyons, c'est le vent!
vraiment?
Oh! pardon!
on m'attend mais j'ai le temps.
Attention!
le temps n'attend pas.
Malheureusement...

On va faire un flipper.

Itinéraire

Bis

Rémi : Eh les gars, on va faire un flipper ?
Jacques : Moi, je ne peux pas.
Helmut : Moi, je vais « bosser », j'ai une « interro » demain.
Rémi : Alors, à demain ! Et toi, Ahmed, tu viens ?
Ahmed : Je suis « fauché », je n'ai pas un « rond » sur moi !
Annie : Ça ne fait rien, moi j'ai 50 « balles ».
Rémi : Annie, toi, tu as toujours de l'argent ! Comment tu fais ?
Annie : Je « bosse », je fais du baby-sitting.
Rémi : Moi, mes parents me donnent 200 F par semaine.
Ahmed : Tu as de la chance.
Annie : Ne t'inquiète pas, Ahmed, on va s'arranger.
Ahmed : On ne va pas rester longtemps, hein ?
Rémi : Non, on fait un petit flipper et on rentre, O.K. ?
Annie : On va où ?
Ahmed : On va au *Cordial*, c'est près du métro.

Faites-les parler...

Itinéraire
Bis

Rive droite.

Lui : Que voulez-vous faire?
Elle : Je ne sais pas et vous?
Lui : On peut aller dîner?
Elle : Aller dîner? Mais il est trop tôt!
Lui : Vous avez raison, il n'est que 19 heures!
Elle : Réservez donc une table!
Lui : Oui, mais chez qui?
Elle : Où vous voulez.
Lui : Que dites-vous d'un restaurant japonais?
Elle : Ah non, pas ce soir...
Lui : Vous aimez la cuisine grecque?
Elle : Aux *Délices d'Aphrodite?* Rive gauche.
Lui : C'est une bonne idée.
Elle : Vous allez réserver?
Lui : Oui, oui, ne vous inquiétez pas... Pour quelle heure?
Elle : 21 heures, par exemple.
Lui : Bon, je vais téléphoner.
Elle : C'est ça, téléphonez et puis prenez un whisky, moi, je vais me préparer.
Lui : Mais vous êtes parfaite comme ça!
Elle : Non, non, je vais me refaire une beauté.
Lui : Ah... Les *Délices d'Aphrodite...*

Faites-les parler...

Bistrots de Paris

Chez Wadja

Le rendez-vous de certains intellectuels de gauche.

Les peintres et sculpteurs sont les clients de ce restaurant « montparno ». Certains sont débutants : ils comptent leur argent pour payer les 50 F de l'addition.

Ce bistrot est le dernier refuge des artistes dans ce quartier où il y a beaucoup de fast food, de pizzerias et autres restaurants anonymes.

Marie, la patronne, est aux cuisines depuis 1936. Léon et Casimir, ses frères, sont dans la salle. Tout le charme du temps qui passe... Être jeune et un peu fauché[1]... Quel plaisir les petits repas avec les amis qu'on retrouve et les copines[2] qu'on invite !

Et les gens qu'on revoit là chaque jour, sans jamais leur parler. Une vieille dame solitaire, mal vêtue, s'assoit en face d'un jeune homme silencieux. C'est injuste, pense l'artiste, elle n'a plus l'âge d'être pauvre. Il l'observe et trouve en elle le modèle de sa prochaine sculpture.

1. Fauché (familier) : sans argent.
2. copine (fam.) : amie.

Marie, la patronne.

Chez Wadja : le refuge des « artistes maudits » de Montparnasse.

Le Temps des Cerises

Ici le chef et les serveurs sont associés : ils ont fondé une « société coopérative de production ». Le *Temps des Cerises*[1] est un restaurant vaste et les tables sont rapprochées pour faciliter les rencontres ou pour réunir des groupes d'amis.

C'est le rendez-vous des lecteurs de *Libération,* des intellectuels de gauche : architectes, professeurs, journalistes, étudiants, artistes. Ils se retrouvent tous dans une ambiance « estudiantine ». Le tutoiement est obligatoire. Beaucoup sont d'anciens « soixante-huitards[2] ».

Les plats sont inscrits à la craie sur un grand tableau noir qui occupe tout un mur. Partout des affiches sur l'écologie, les Droits de l'homme, Amnesty International.

1. 18, rue de la Butte aux Cailles, XIIIe. *T.l.j. sauf le samedi midi et le dimanche.*
2. Les nostalgiques de mai 1968.

Chez Wadja
10, rue de la Grande-Chaumière, VIe. *T.l.j. sauf le dimanche jusqu'à 21h30.*

Salade de chou blanc	6,90 F	Maquereau au four	34,50 F
Maquereau au vin blanc	13,80 F	Goulache à la hongroise	50,60 F
Pâté de campagne	6,90 F	Fromage	6,90 F
Potage	9,20 F	Fruits	6,90 F
Saucisses de Francfort	28,75 F	Tarte aux poires	15,00 F
Hachis Parmentier	34,50 F	Yaourt	5,75 F
Blanquette de veau à l'ancienne	50,60 F	Vin rouge *(le quart)*	4,70 F

MENU À 48 F

Laitue aux noix

ou

Concombre à la menthe

Potée aux choux

ou

Lotte à l'indienne

Profiterolles au chocolat

Jusqu'à 21 heures, vous pouvez prendre le petit menu à 48 F.

LA FRANCE AU QUOTIDIEN

Le Vin des Rues

Depuis quelques années, on n'allait plus dans les bistrots. On mangeait dans des salles tristes, la « nouvelle cuisine », triste elle aussi et très chère. Ah ! ce n'est pas facile d'être branché[1]. On traversait Paris pour aller dans le dernier restaurant à la mode.

Et puis, on a eu envie de vraie cuisine et de vraie convivialité : la mode des bistrots est revenue.

Le patron du *Vin des Rues* l'a compris. Son bistrot : une petite salle jaune avec un grand comptoir, des affiches, quelques œuvres des « peintres du dimanche », des tables bien rapprochées et, sur le trottoir, une terrasse pour l'été.

La cuisine est excellente, la dame au service est plutôt gentille. Tout le monde, mal assis, au coude à coude avec les voisins, est ravi. Ce n'est plus cher d'être branché !

1. Branché (fam.) : à la mode.

● ●

Le Vin des Rues
21, rue Boulard, XIVe. T.l.j. sauf le dimanche et le lundi.
(Dîner le mercredi et le vendredi seulement)

Salade aux foies de volailles....	25,00 F	Tarte chaude aux pommes......	20,00 F
Saladier lyonnais.............	20,00 F	Crème de marron au cacao.....	20,00 F
Assortiment de hors-d'œuvre..	20,00 F	Beaujolais *(le pot)*............	30,00 F
Quenelles sauce Nantua.......	50,00 F	Coteaux du Lyonnais	
Rôti de veau farci............	60,00 F	*(la 1/2 bouteille)*..............	18,00 F
Fromage....................	20,00 F		

● ●

Le vin des Rues : la convivialité retrouvée.

Activité

Travail de groupe

Vous invitez un ami étranger. Décrivez cet ami, donnez-lui une personnalité. Choisissez le restaurant où vous allez dîner. Préparez un compte rendu de votre discussion pour la classe, en disant pourquoi vous avez choisi ce restaurant.

Ordre, Sélection et Harmonie

Ce sont les trois principes essentiels de la vie sociale. Par exemple, vous allez au restaurant, un ordre strict règle votre conduite.
Un maître d'hôtel s'approche de vous :
« Bonsoir, une table pour quatre ? »
Il vous guide vers cette table, vous présente la carte et vous laisse choisir tranquillement.
Un ordre précis vous permet de faire votre choix :
hors-d'œuvre, plat principal, fromages, desserts...
Mais vous pouvez sélectionner vos plats !
Votre serveur arrive enfin, un carnet à la main :
« Vous avez choisi ? »
Alors, dans l'ordre vous énumérez
les hors-d'œuvre : « deux crudités,
une salade aux noix, un fruits de mer. »
Et comme plat principal ?
« Quatre faux-filets aux herbes. »
Vous les voulez comment ?
bleus ? saignants ? bien cuits ?
(Ah ! Ah ! Vous devez sélectionner !)
Et comme boisson ?
« Un Pommard, par exemple. »
Cette fois, vous avez choisi en harmonie :
la viande se mange avec un vin rouge
de préférence ! (C'est cela l'harmonie !)
On vous apporte ensuite
le plateau de fromages : Brie, camembert,
Roquefort, chèvre, etc.
« Un peu de Brie et un morceau de chèvre,
s'il vous plaît. »
(Tiens ! vous avez sélectionné...)
Après quelques moments de conversation,
vous appelez le serveur :
« L'addition, s'il vous plaît. »
Vous pouvez régler par chèque, en liquide
ou avec la carte bleue :
vous avez le choix. (C'est encore de la sélection !)
Vous laissez un pourboire sur la table :
l'harmonie règne !

Activité

Imaginez maintenant la vie au restaurant ou ailleurs sans ces trois principes :
– l'ordre,
– la sélection,
– l'harmonie.

L'été, *Giuseppe Arcimboldo.*

1. Une chambre dans un hôtel deux étoiles coûte entre 120 et 250 F. ☐
entre 120 et 150 F. ☐
entre 100 et 200 F. ☐

2. Une chambre dans un hôtel trois étoiles coûte un peu plus de 500 F. ☐
un peu moins de 500 F. ☐
plus de 600 F. ☐

3. L'hôtel et son restaurant
ont nécessairement le même nombre d'étoiles. ☐
n'ont pas nécessairement le même nombre d'étoiles. ☐

4. En France, les prix des restaurants sont fixés par l'État. ☐
les prix des restaurants sont libres. ☐

5. Dans un restaurant, le service est toujours compris. ☐
n'est pas compris. ☐
est presque toujours compris. ☐

6. Dans un restaurant, vous êtes obligé de laisser un pourboire. ☐
vous n'êtes pas obligé de laisser un pourboire. ☐

7. En province, dans un restaurant, la carte est moins chère. ☐
le menu est moins cher. ☐

8. Le menu d'un restaurant coûte entre 49 et 350 F. ☐
entre 49 et 300 F. ☐
entre 109 et 150 F. ☐

9. En été, il y a toujours de la place dans les Auberges de jeunesse. ☐
il n'y a pas toujours de place dans les Auberges de jeunesse. ☐

10. « Dormir à la belle étoile » veut dire
dormir dans un hôtel de luxe. ☐
dormir dans un camping sous la tente. ☐
dormir en plein air. ☐

• •

Résumé

En France, une chambre dans un hôtel deux étoiles . . . . . . entre . . . . . .
et . . . . . francs. Une . . . . . dans . . . . . trois . . . . . . , ...
francs. En France, les prix des restaurants . . . . Dans un restaurant, le service . . . . Vous . . . . . de laisser un pourboire. Le menu
d'un restaurant . . . . . entre . . . . . et . . . . . francs.
Quand on est jeune, on peut dormir . . . . . mais en été, ...
On peut alors camper ou dormir . . . .

SUIVEZ LE GUIDE

SITUATION

Comment faut-il faire?

A L'étranger : Pardon mademoiselle, pour aller au Panthéon, s'il vous plaît?

Carmen : Vous montez par là, vous prendrez la deuxième rue à gauche et puis vous continuerez tout droit.

L'étranger : Merci bien.

Éric : Vous connaissez bien Paris, Carmen!

Carmen : Pas très bien. Pas assez pour aller où je veux.

Éric : Moi, je connais bien les directions! Plus tard, je serai guide touristique!

B Carmen : Eh bien, justement, je dois aller à la Défense, mais je ne sais pas bien où c'est. Qu'est-ce qu'il faut faire pour aller là-bas?

Éric : Prenez le RER, c'est très rapide : il faut vingt minutes seulement.

Carmen : Comment faut-il faire?

Éric : D'ici?... Ne prenez pas l'autobus! Allez à pied jusqu'au Luxembourg et là, vous trouverez le RER. Vous verrez, c'est facile.

Carmen : Bon, merci et à bientôt! Je vous téléphonerai demain.

Éric : Mais attendez! Il faut prendre la ligne B et changer à...

Carmen : C'est indiqué, non? Je trouverai bien.

Éric : Oui, mais il faut regarder sur le plan!

Carmen : Oui, oui, je sais...

Questions

A *Où l'étranger veut-il aller?*
Qu'est-ce qu'il doit faire?
Carmen connaît bien Paris?
Et Éric?

B *Il faut combien de temps pour aller à La Défense?*
Est-ce qu'il faut prendre l'autobus?
Alors, qu'est-ce qu'il faut faire?
Est-ce que c'est direct?
Quel conseil Éric donne-t-il à Carmen?

DÉCOUVREZ les règles

Pour aller au Panthéon, s'il vous plaît?
Pour aller à La Défense, qu'est-ce qu'il faut faire?
Qu'est-ce qu'il faut faire pour aller là-bas?

Observez différentes manières
de demander son chemin.

Vous montez par là.
Prenez le RER.
Allez à pied jusqu'au Luxembourg.
Vous prenez le métro.
Ne prenez pas l'autobus.
Il faut prendre la ligne B.
Il faut changer à l'Étoile.
Vous prendrez la deuxième à gauche et puis vous
continuerez tout droit.

Observez différentes manières
de donner des directions
à quelqu'un.

Vous montez par là, à gauche.
C'est tout droit.
Vous arrivez là-bas.
Allez à pied jusqu'au Luxembourg.
Et là, vous trouverez le RER.

Relevez différentes manières
d'indiquer des lieux et
des situations dans l'espace.

Il s'appelle Éric.
Il faut changer à l'Étoile.
Il faut prendre la ligne B.

À quoi renvoie le pronom **il**?

Vous connaissez bien Paris?
Vous connaissez mon amie Cécile?
Vous connaissez son adresse?
Je connais bien les directions.
Je ne connais pas cette adresse.
Je ne sais pas bien parler le français.
Je ne sais pas où c'est.
Je sais où est le Panthéon.

Observez les verbes
savoir et **connaître**.

Faites-les parler...

MANIÈRES de dire

1. *Relevez dans la ou les situation(s) (p. 112 ou pp. 121 et 122), différentes manières de* **demander son chemin.**

. . . . . .

2. *Relevez dans la ou les situation(s), différentes manières de* **donner une direction à quelqu'un.**

. . . . . .

3. *Comparez les différentes formulations.*

. . . . . .

À VOUS de parler

*J*eu de rôles à trois personnages :
A, B et C.

A rencontre B, place d'Italie.
A veut aller au Louvre. Il demande son chemin.
B ne sait pas et s'excuse.
A demande à C.
C demande à A s'il veut prendre le métro ou l'autobus.
A répond qu'il va prendre le métro.
C donne la direction.
A remercie.

*D*ans votre ville, un Français
vous demande la direction
d'un lieu (musée, restaurant, gare,
jardin, etc.).

Le Français s'adresse à vous.
Vous répondez mais votre explication est très longue.
Il ne comprend pas et il vous demande de répéter.
Vous répétez plus simplement.
Il demande si c'est loin.
Vous répondez.
Il vous demande si vous pouvez l'accompagner.
Vous répondez à votre façon.

Exercices

1

Itinéraires

**En petits groupes, vous choisissez un monument de Paris. Vous deman-
dez à un camarade comment il faut faire pour aller là-bas en métro. Votre
camarade vous répond.**

2

Il se trompe totalement !

1. – Pardon, le Panthéon, c'est à gauche?
   – Ah non, ... !
   – Merci bien!
2. – Pardon, la rue Bobillot, c'est par ici?
   – Ah non, ... !
3. – Pardon, la rue Mouffetard, c'est ici?
   – Ah non, ... !
4. – Pardon, pour aller à La Défense, il faut prendre à droite?
   – Ah non, ... !
   – Merci bien!
   – Je vous en prie!
5. – Les galeries Lafayette, c'est là-bas?
   – Ah non, ... !
   – Excusez-moi!
6. – Pour aller à l'Étoile, il faut descendre les Champs-Élysées?
   – Ah non, ... !

3

Voici ce qu'il faut faire.

Donnez des conseils en utilisant des formes impératives.

1. Votre ami veut prendre le bateau pour aller à Rio : vous trouvez que
   ce n'est pas assez rapide.
2. Il veut descendre dans un hôtel de luxe : vous trouvez que c'est trop
   cher.
3. Il veut partir seul : vous trouvez qu'il doit partir avec des amis.
4. Il veut partir au mois de février : vous trouvez qu'il fait trop chaud
   en février.
5. Il veut emporter des dollars : vous trouvez que les cruzeiros sont plus
   utiles.
6. Il veut apprendre l'anglais pour aller à Rio : vous trouvez que ce n'est
   pas raisonnable.

4 | **Jeu du cadavre exquis**

Jouez par groupes de quatre.

A écrit	B écrit	C écrit	D écrit
« Pour » + infinitif	un nom	« il faut » + infinitif	un nom

5 | **Il part à Rio, demain matin!**

Dites à votre ami ce qu'il faut faire, mais variez les formes.

Liste des choses à faire!

1. Sortir à 7 heures au plus tard : . . . .
2. Prendre le métro : . . . .
3. Descendre au Luxembourg : . . . .
4. Prendre le RER, direction Roissy : . . . .
5. À Roissy, prendre la navette, direction aérogare B : . . . .
6. Enregistrer les bagages : . . . .
7. Prendre la carte d'embarquement : . . . .
8. Passer au contrôle d'identité : . . . .
9. Attendre l'heure d'embarquement : . . . .
10. Dans l'avion, attacher la ceinture de sécurité : . . . .

6 | **Dites-lui comment faire.**

Vous invitez un ami pour la première fois chez vous. Dites comment il faut faire pour aller du lycée ou du bureau jusqu'à votre domicile.

« D'abord, ... »
« Ensuite, ... »
« Et puis, ... »
« Enfin, ... »

VOTRE grammaire

Pour donner une direction

En utilisant des verbes

Vous **montez** la rue des Écoles.
Prenez le RER.
Ne prenez pas l'autobus.
Il faut **prendre** le quai B.
Vous **changerez** à Jussieu.

En utilisant des indications de lieu
(souvent accompagnées d'un geste de la main)

C'est **à droite, à gauche.**
D'ici, c'est **tout droit.**
C'est **en face de** la gare.
C'est **derrière** le Panthéon.
Vous allez **jusqu'au** Luxembourg.

Les prépositions qui suivent les verbes de mouvement

Le Panthéon . . . . pour aller **au** Panthéon.
La gare . . . . pour aller **à la** gare.
L'Étoile . . . . pour aller **à l'**Étoile.
Les Champs-Élysées . . . . pour aller **aux** Champs-Élysées.

« Pour » et « par »

Pour : indique la destination.

Pour aller au Panthéon, s'il vous plaît?
Un ticket **pour** La Défense.
Un billet **pour** Lyon, s'il vous plaît.

Par : indique le lieu traversé.

Montez **par** là!
Il faut passer **par** La Défense.
Ne passez pas **par** le Luxembourg.

Pour aller à Marseille,
il faut passer **par** Lyon.

« Connaître » et « savoir »

Je ne connais pas le Panthéon.
Vous connaissez la rue de la Paix?
Connaissez-vous la rue de la Paix?
Je ne connais pas cette rue.

*« Connaître » n'est jamais suivi
d'un infinitif ni d'une conjonction.*

Je sais **où** est la gare.
Vous savez **où** est le parc?
Savez-vous **où** est le parc?
Je ne sais pas **où** est cette rue.
Je sais **lire** un plan.

*« Savoir » peut être suivi
d'un infinitif ou d'une conjonction.*

« Connaître » au présent

Je connais
Tu connais
Il/elle/on connaît
Nous connaissons
Vous connaissez
Ils/elles connaissent

« Savoir » au présent

Je sais
Tu sais
Il/elle/on sait
Nous savons
Vous savez
Ils/elles savent

LA CONJUGAISON DES VERBES AU FUTUR SIMPLE

Futurs réguliers

Verbes en -er	Verbe en -ir	Verbe en -re
Trouver	**Sortir**	**Prendre**
Je trouverai	Je sortirai	Je prendrai
Tu trouveras	Tu sortiras	Tu prendras
Il/elle/on trouvera	Il/elle/on sortira	Il/elle/on prendra
Nous trouverons	Nous sortirons	Nous prendrons
Vous trouverez	Vous sortirez	Vous prendrez
Ils/elles trouveront	Ils/elles sortiront	Ils/elles prendront

Futurs irréguliers

Être	Avoir	Voir	Aller
Je serai	J'aurai	Je verrai	J'irai
Tu seras	Tu auras	Tu verras	Tu iras
Il/elle/on sera	Il/elle/on aura	Il/elle/on verra	Il/elle/on ira
Nous serons	Nous aurons	Nous verrons	Nous irons
Vous serez	Vous aurez	Vous verrez	Vous irez
Ils/elles seront	Ils/elles auront	Ils/elles verront	Ils/elles iront

---

« Devoir » et « Il faut »

– Je **dois** aller à La Défense.
– Alors, vous **devez** prendre le RER.
– On **doit** changer à Châtelet ?
– Non, c'est direct.

– Pour aller à La Défense, comment **faut-il** faire ?
– **Il faut** prendre le RER. Mais attention ! **Il faut** changer à Châtelet et **il faut** prendre la ligne A.

« Devoir » et « il faut » indiquent ici une **obligation**. En ce cas, ils sont suivis de **l'infinitif**.
« Il faut » est une expression **impersonnelle**. « Devoir » se conjugue à toutes les personnes.

LA CONJUGAISON DU VERBE « DEVOIR »

Présent

Je dois
Tu dois
Il/elle/on doit
Nous devons
Vous devez
Ils/elles doivent
} changer à Châtelet.

Futur

Je devrai
Tu devras
Il/elle/on devra
Nous devrons
Vous devrez
Ils/elles devront
} changer à Châtelet.

a

b

c

Complétez les phrases suivantes et retrouvez les trois dialogues ou situations qui correspondent aux trois dessins.

1 ■ — Comment . . . . . . pour . . . . . . Londres?
— Vous . . . . . . un billet . . . . . . gare du Nord. Vous . . . . . . le train . . . . . . Calais et là, vous . . . . . . l'aéroglisseur . . . . . . traversez la Manche. À Douvres, vous . . . . . . le train . . . . . . Londres!
— Merci bien!

2 ■ — Pour . . . . . . Jardin des Plantes, s'il vous plaît?
— . . . . . . tout droit . . . . . . la mosquée, c'est en face.

3 ■ — Ne . . . . . . pas! Le feu est vert! . . . . . . au feu rouge!

4 ■ — . . . . . . à pied . . . . . . Louvre, vous . . . . . . la Pyramide : elle est magnifique!

5 ■ — Pour . . . . . . Roissy par le RER? . . . . . . prendre la ligne A ou la ligne B?
— . . . . . . la ligne B. Attention . . . . . . pas la ligne A!

6 ■ — . . . . . . le train de 23 heures et vous . . . . . . Nice à 7 heures du matin.

7 ■ — Pour . . . . . . à La Défense, ... changer à Châtelet?
— Non, c'est direct.

8 ■ — Attention! Vous . . . . . . traverser!
— Pourquoi?
— Regardez! Le feu est vert! Pour traverser, ... attendre le feu rouge.

DÉCOUVREZ les sons

1 ▶ Écoutez la nasale [ɛ̃] comme dans « vingt », « cinq » et « quinze ».

2 ▶ Écoutez la cassette et répétez.

3 ▶ Écoutez et mettez une croix (x) chaque fois que vous entendez [ɛ̃] et [ã].

Exemples :
Cinq (j'entends [ɛ̃]).
Cent (j'entends [ã]).

	J'entends [ɛ̃]	J'entends [ã]
1		
2		
3		
4		
5		
6		
7		
8		
9		
10		

Amusement sonore

Le mien est parti,
le tien est sorti,
le sien a menti.

Le sien se maintient,
le tien n'en sait rien,
ça ne fait rien au mien.

Je prendrai un bain
tôt le matin.
Je boirai du vin
et mangerai du pain
sous les sapins.
Je serai bien
mais tu n'en sauras rien.

Invente-moi une chanson
Invente-moi une maison
avec cinq enfants
très blonds.
Emmène-moi au jardin
fais-moi des dessins
sans fin.

J'ai un rendez-vous.

Itinéraire
Bis

Helmut : Tu sais comment on va à la plage des Catalans?
Charles : C'est près de la Corniche, non?
Helmut : Je ne sais pas.
Charles : Qu'est-ce que tu vas faire là-bas à cette heure-ci?
Helmut : J'ai un rendez-vous.
Charles : Avec qui?
Helmut : Ben! ce n'est pas ton affaire! Mais comment on va là-bas?
Charles : C'est facile! Prends le métro!
Helmut : Jusqu'où?
Charles : Tu descendras au Vieux-Port.
Helmut : Il y a une correspondance?
Charles : À Marseille? Tu rêves! Après tu peux prendre le bus 81 ou tu y vas à pied.
Helmut : Bon alors, j'y vais!
Charles : Ciao!
Helmut : Ciao!

● ●

Faites-les parler...

Si vous ne trouvez pas, demandez à quelqu'un!

Itinéraire *Bis*

Lui : Pardon, madame, pourriez-vous me renseigner?
Elle : Mais certainement, jeune homme!
Lui : Voilà, je cherche le musée des Rohan.
Elle : Ce n'est pas difficile! Vous êtes à pied?
Lui : Oui, j'ai laissé ma voiture place Kléber.
Elle : Bon, eh bien, vous remontez la rue de l'Outre jusqu'au bout et puis, quand vous arriverez sur la place du Temple-Neuf, vous demanderez à quelqu'un où se trouve la rue des Hallebardes.
Lui : Mais, le musée des Rohan est-il à droite ou à gauche de la place de la Cathédrale?
Elle : Il se trouve sur votre droite et, si vous ne trouvez pas, demandez à quelqu'un!
Lui : Mais à qui?
Elle : Pardon?
Lui : À qui faut-il demander?
Elle : À quelqu'un comme moi, par exemple!
Lui : À quelqu'un comme vous?
Elle : Oui, oui, au revoir!
Lui : Au revoir, madame...

Faites-les parler...

LA FRANCE AU QUOTIDIEN

Suivez le guide

Au Louvre, vous pouvez voir les grands chefs-d'œuvre de la peinture et de la sculpture.

Selon vos préférences, vous pouvez admirer la peinture italienne, hollandaise, flamande et française aussi...

Les sculptures sont un livre d'histoire en pierre depuis les premières civilisations jusqu'à l'époque contemporaine.

Au Louvre, un magasin vous offre des reproductions de bijoux anciens.

Bijou celte.

La Pyramide du Louvre.

Le Louvre : le donjon.

La Pyramide du Louvre, ouverte en février 1989, permet d'accéder au donjon de Philippe-Auguste et au musée du Louvre. Elle mesure 22 mètres de haut. 105 tonnes de verre et 85 tonnes d'acier inoxydable ont été nécessaires à sa construction.

Le déjeuner sur l'herbe (détail), Claude Monet.

Le Musée d'Orsay.

Bal du moulin de la Galette, Auguste Renoir.

Le musée d'Orsay, situé sur les quais de la Seine, est une ancienne gare. Il a été ouvert au public en 1986. Il contient des réalisations artistiques de la seconde moitié du XIXe siècle : depuis les derniers romantiques (sculpture de Rude) jusqu'au pointillisme (Seurat) en passant par le réalisme paysan et l'impressionnisme.

Le Centre Georges-Pompidou est un centre culturel unique au monde.
Vous voulez admirer la peinture contemporaine ?
C'est au sixième niveau.
Vous voulez consulter un livre ?
Une excellente bibliothèque est à votre disposition au troisième niveau.

Montmartre et le Sacré-Cœur vus du Centre Pompidou.

La Géode.

À La Villette, l'univers de la technologie vous attend : on peut y voir de grandes expositions sur des thèmes scientifiques et techniques, par exemple « Les savants de la Révolution ».

Dans le parc de La Villette se trouve la Géode, structure en acier poli, qui contient un vaste écran hémisphérique. Les spectateurs ont l'impression de vivre les scènes filmées et de faire partie du spectacle.

Le centre Georges-Pompidou.

Vous pouvez aussi y écouter des concerts et des conférences, y voir des ballets et même y apprendre des langues étrangères dans le laboratoire de langues. Tout est gratuit !
Plus haut, une terrasse vous permet de contempler les toits de Paris.

Activités

Choisissez parmi les activités suivantes :

1. Inventez une interview entre deux personnes, par exemple un(e) journaliste étranger(ère) et le ministre français de la Culture. Le journaliste pose des questions pour savoir ce qu'on peut faire dans les différents endroits cités dans ces pages. Le ministre répond.

2. Le « jeu des raisons ». Il s'agit de deviner les raisons pour lesquelles un groupe d'étudiants (2 ou 3) a choisi un lieu. Exemple : « Nous avons choisi La Villette. Devinez pourquoi ? Vous pouvez poser des questions, mais nous ne pouvons répondre que par *oui* ou par *non*. »

3. Donnez l'itinéraire.
Un groupe de deux étudiants choisit un monument à visiter. Ils disent à quel endroit de Paris se trouve le monument et ils demandent à un autre groupe comment faire pour y arriver. En regardant un plan de métro, les élèves doivent trouver un itinéraire et l'expliquer au groupe qui a posé la question.

Transports parisiens

Les nouveaux autobus parisiens.

Le métro de Paris aux heures de pointe.

« Vous descendez à la prochaine? »

Dans le métro, tout le monde est serré,
surtout aux heures de pointe,
quand tout le monde est pressé de partir
ou d'arriver.
Comme des sardines en boîte,
les Parisiens s'entassent
dans les wagons de deuxième classe.
Oui, il y a une première classe,
un wagon plus cher, pour les plus riches,
sauf après 17 heures.

Pour descendre du métro,
il faut jouer des coudes :
« Pardon, vous descendez? »
Cela veut dire :
« Moi, je descends, laissez-moi passer! »
Je pousse, tu pousses, on pousse :
la place est libre,
je peux sortir! Jamais personne
ne vous empêche de sortir du métro,
mais il faut dire :
« Pardon, vous descendez? »
Ouf! je suis enfin sur le quai.
Le métro aux heures de pointe,
ce n'est pas recommandé!

125

1. Numérotez par ordre d'apparition les noms de lieux ou de monuments que vous entendez.

☐ La rive gauche de la Seine.
☐ Le Pont-Neuf.
☐ Le Louvre.
☐ L'Institut de France.
☐ Le pont des Arts.
☐ L'Île de la Cité.
☐ Le jardin des Tuileries.
☐ Le musée d'Orsay.
☐ L'Île Saint-Louis.
☐ Notre-Dame de Paris.
☐ L'Hôtel-de-Ville.
☐ La rive droite.
☐ Le Grand Palais.
☐ La tour Eiffel.
☐ Le pont Saint-Louis.
☐ La Concorde et son obélisque.

2. Reportez sur le plan les numéros que vous avez donnés aux lieux et monuments.

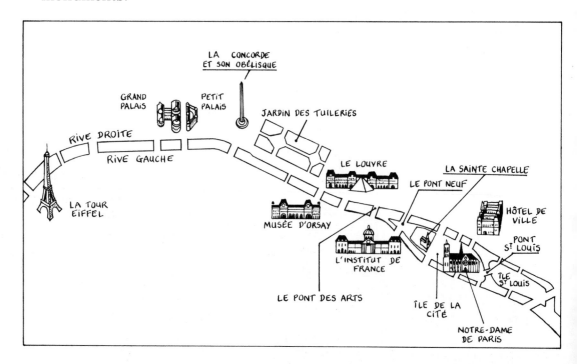

3. Vérifiez en petits groupes si vous avez trouvé les mêmes résultats. Discutez et demandez une nouvelle écoute de l'enregistrement pour vous mettre d'accord!

À la mode
de chez nous

Des goûts et des couleurs...

A Fabienne : Oh! Elle est bien cette robe pour un mariage.
   Sa mère : Moi, j'aime mieux celle-ci, je la trouve très bien pour toi.
   Fabienne : Laquelle? La rouge? Moi, je ne l'aime pas du tout.
   Sa mère : Et la blanche?
   Fabienne : La blanche? Oui, je la trouve assez jolie.
   Sa mère : Oui, mais elle est plus chère que la rouge : 1 900 F pour une robe, c'est trop cher!

B Fabienne : Alors, achète-moi un chemisier bleu en soie, regarde, comme celui-là. Tiens! Il est comme celui de Christine!
   Sa mère : Mais Christine est très blonde, le bleu lui va bien.
   Fabienne : Je suis aussi blonde qu'elle, écoute!
   Sa mère : Oui, mais Christine a les yeux bleus, elle.
   Fabienne : Qu'est-ce que je prends, alors?
   Sa mère : Regarde celui-ci : il est ravissant et puis il est moins cher que le bleu.
   Fabienne : Oui, il n'est pas mal, ce chemisier rose. Bon, je vais l'essayer.
   Sa mère : Essaie le 38 et le 40, c'est plus prudent...
   Fabienne : Oui, d'accord, je vais les essayer.

Questions

A *Fabienne et sa mère cherchent une robe ou un ensemble?*
Fabienne aime la robe blanche ou la robe rouge?
Et sa mère, quelle robe préfère-t-elle?
Pourquoi refuse-t-elle d'acheter la robe blanche?

B *Christine est blonde ou brune?*
De quelle couleur sont ses yeux?
Et Fabienne comment est-elle?
Est-ce que le bleu lui va bien?
La mère trouve le chemisier bleu trop cher ou pas assez joli?
Qu'est-ce que Fabienne va essayer, le plus cher ou le moins cher?

DÉCOUVREZ les règles

Observez les pronoms objets.

> Je la trouve très bien.
> Je ne l'aime pas du tout.
> Je la trouve très jolie.
> Je vais l'essayer.
> Je vais les essayer.

Observez des façons de comparer.

> J'aime mieux cette couleur.
> Elle est plus chère que la rouge.
> Achète-moi un chemisier bleu comme celui de Christine.
> Je suis aussi blonde qu'elle!
> Il est moins cher que le bleu.
> C'est plus prudent...

Observez les **démonstratifs**.

> Elle est bien cette robe.
> J'aime mieux celle-ci.
> Un chemisier bleu comme celui de Christine.
> Regarde celui-ci.
> Il n'est pas mal ce chemisier rose.

Observez les pronoms **c'**, **il**, **elle**.

> C'est trop cher.
> Il est ravissant.
> Il n'est pas mal.
> C'est plus prudent.
> Elle est bien.

Faites-les parler...

MANIÈRES de dire

1. *Trouvez dans la ou les situation(s) (p. 128 ou pp. 137 et 138),*
*différentes manières d'**apprécier positivement** quelque chose.*
. . . . . .

2. *Trouvez dans la ou les situation(s), différentes*
*manières d'**apprécier négativement** quelque chose.*
. . . . . .

3. *Relevez quelques **relations d'égalité***
entre deux personnes ou deux choses.
. . . . . .

À VOUS de parler

*J*eu de rôles à deux personnages : une mère et son fils
sont dans un magasin, ils choisissent un pull.

Elle voit un pull et le conseille à son fils.
Le fils exprime une autre préférence.
La mère demande des précisions.
Il répond.
Elle n'est pas d'accord.
Il insiste en comparant avec le pull d'un copain.
Elle critique le copain.
Il lui dit qu'elle ne connaît pas la mode des jeunes.
Elle refuse alors de payer le pull.
Il choisit quand même son pull et le paie avec son argent
de poche.

*J*eu de rôles à deux personnages : un couple se prépare
pour une soirée chez le patron de l'un des deux.

A demande à B pourquoi elle s'est habillée de cette
façon.
B donne une explication.
A critique le vêtement et dit quel type de vêtement
convient pour l'occasion.
En comparant ses autres vêtements, B demande à A
lequel convient le mieux.
A donne son opinion.
B accepte ou n'accepte pas de se changer en
donnant ses raisons.

130

Exercices

1

Test de la personnalité

Préparez huit questions par écrit, puis allez interviewer un ou une camarade sur ses goûts. Faites enfin un résumé de la personnalité de votre camarade en le/la classant dans une des trois catégories : goûts de luxe, goûts modestes, goûts peu fixés. Demandez-lui ce qu'il/elle aime mieux.

1. a. vêtements habillés
   b. vêtements sport
2. Et pour les couleurs :
   a. le blanc
   b. le marron
3. a. robes/costumes
   b. ensembles/jeans
4. a. cigarettes blondes
   b. cigarettes brunes

5. a. voitures de sport
   b. break
6. a. opéra
   b. chansons
7. a. chemisiers ou chemises en soie
   b. chemisiers ou chemises en tissu synthétique
8. a. lilas blancs
   b. dahlias

Résultats du test
- Si votre camarade a choisi 6 a., il/elle a « des goûts de luxe ».
- Si votre camarade a choisi 6 b., il/elle a « des goûts modestes ».
- Si les réponses sont mélangées 3 a. et 3 b., votre camarade a « des goûts peu fixés ».
Mais rappelez-vous : « des goûts et des couleurs, on ne discute pas ! »

2

En feuilletant un magazine

Donnez votre opinion. Prenez les formules proposées pour varier vos réponses !

Formules proposées :
trouver : ravissant(e) – très bien – bien – assez bien – ordinaire – pas beau/belle – laid(e).

aimer : bien – un peu – beaucoup – pas du tout.

1. – Comment trouves-tu cette robe du soir?
   – . . . .

2. – Que dis-tu de ce blouson en cuir?
   – . . . .

3. – Et cette cravate de chez Dior, qu'en pensez-vous?
   – . . . .

4. – Comment trouves-tu ces chaussures italiennes?
   – . . . .

5. – Et cette Ferrari rouge, elle te plaît?
   – . . . .

6. – Que dis-tu de ce pull en laine noire?
   – . . . .

7. – Comment trouvez-vous ce foulard Hermès?
   – . . . .

8. – Et ce jean Lee Cooper?
   – . . . .

3

Jacques et Pierre

a. Comparez Jacques et Pierre.

Jacques mesure 1,80 m, il est plutôt maigre, il est blond, il aime le sport, il danse bien, il est gentil, il est très intelligent, il a 20 ans, il a peu d'argent.

Pierre est châtain clair, il fait un peu de sport, il est plutôt gros, il est très riche, il a 28 ans, il est très amusant.

1. Pierre est plus . . . que . . . / moins . . . que . . . .
Jacques est . . . .

2. . . . .

3. . . . .

4. . . . .

5. . . . .

b. Dites lequel vous aimez mieux et pourquoi.

1. . . . .

2. . . . .

3. . . . .

4

La Peugeot et la Renault

a. Comparez ces deux voitures.

La Peugeot est rapide : 180 km/heure et 6 litres aux 100. Elle est très confortable, très solide, élégante, elle coûte 70 000 F.
La Renault est très solide. Elle est pratique en ville et consomme peu : 5 litres aux 100. Elle fait du 140 à l'heure et coûte 50 000 F.

1. La Peugeot est . . . .
La Renault est . . . .

2. . . . .

3. . . . .

4. . . . .

b. Dites laquelle vous aimez mieux.

1. . . . .

2. . . . .

5

Faites des compliments, ça fait toujours plaisir! Variez les formes.

Rappel :
Oh! Elle est bien, cette robe!
Il est ravissant, ce chemisier!
etc.

1. Votre voisine a un chemisier rouge.

. . . .

2. Votre professeur a un foulard Hermès.

. . . .

3. Votre mère a acheté des chaussures blanches.

. . . .

4. Votre père porte une cravate en soie.

. . . .

5. Votre ami a un nouveau blouson en cuir.

. . . .

6. Votre tante porte un chapeau jaune.

. . . .

6 **Jeu du cadavre exquis**

Jouez par groupes de quatre.

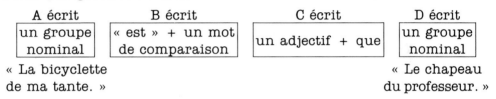

A écrit	B écrit	C écrit	D écrit
un groupe nominal	« est » + un mot de comparaison	un adjectif + que	un groupe nominal

« La bicyclette de ma tante. »   « Le chapeau du professeur. »

7 **Christian donne des conseils à ses amies.**

Christian : « Christine est très blonde, le bleu lui va bien. Toi, Domini-que, tu es brune, le rouge te va mieux que le bleu. Et vous, Carmen, vous êtes très jeune, le rose vous va très bien. Moi, je suis roux, le vert me va bien. »

1. Christine : Comment tu trouves mon chemisier rose?
Christian : . . . .

2. Dominique : Qu'est-ce que tu dis de mon nouveau blouson noir?
Christian : . . . .

3. Carmen : J'achète cette robe du soir? Elle vous plaît?
Christian : . . . .

4. Christian : Je mets cette veste bleue? Qu'est-ce que vous en pensez?
Carmen : . . . .

VOTRE grammaire

Les pronoms objets de la 3e personne

– Cette robe, je **la** trouve très bien.
– Moi, je ne **l'**aime pas du tout.
– Je **le** trouve très joli, **ce chemisier**.
– Je vais **l'**essayer.
– Je prends **les deux**, je vais **les** essayer.

| le |
| la |
| l' |
| les |

Ces pronoms sont des pronoms complé-ments d'objet direct.

Les démonstratifs

Cette robe $\longrightarrow$ **celle-ci/celle-là.**
Ce chemisier $\longrightarrow$ **celui-ci/celui-là.**
Le chemisier de Christine $\longrightarrow$ **celui** de Christine.
La robe de Fabienne $\longrightarrow$ **celle** de Fabienne.
Les gants de Carmen $\longrightarrow$ **ceux** de Carmen.
Les chaussures d'Éric $\longrightarrow$ **celles** d'Éric.

– Elle est bien, **cette** robe.
– J'aime mieux **celle-ci.**

« Ce, cette, ces » sont des adjectifs.
« Celui, celle, ceux, celles » sont des pronoms.

Les pronoms interrogatifs

– **Lequel** veux-tu? Le chemisier rose ou le bleu?
– Je préfère celui-là, le bleu.

– Tu aimes cette veste?
– **Laquelle?**
– Celle qui est là, devant toi.

– **Lesquels** préférez-vous? Les gants de cuir ou les gants de laine?
– Je préfère ceux-là; oui, j'aime mieux les gants de laine.

– **Lesquelles** vas-tu prendre? Les chaussures noi-res ou les blanches?
– Je vais prendre celles-ci, les blanches.

La comparaison

Bien/mieux

– J'aime **bien** cette robe.
– J'aime **mieux** celle-ci.

– Ce chemisier lui va **bien**.
– Celui-ci lui va **mieux**.

Plus/moins/aussi

La robe blanche est **plus** chère **que** la rouge.
Le chemisier rose est **moins** cher **que** le bleu.
Fabienne est **aussi** blonde **que** Christine.
Essaie les deux, c'est **plus** prudent.

Elle est trop chère/c'est trop cher.

Elle est plus chère./C'est plus cher.
Elle est trop chère./C'est trop cher.

Cette robe coûte 1 900 F. **Elle** est **plus** chère (que celle-ci).
Celle-ci coûte 1 200 F. **Elle** est **trop** chère (pour moi).

1 900 F pour cette robe, $\begin{cases} \textbf{c'est plus cher (que 1 200 F).} \\ \textbf{c'est trop cher (pour moi).} \end{cases}$

134

VÉRIFIEZ
vos connaissances

Dans un magasin. Vous n'avez pas les mêmes goûts. Trouvez des manières différentes de le dire (aimer, aimer plus, aimer moins, aimer mieux, préférer).

1 ■ — J'aime bien cette chemise.
— Moi, ...

2 ■ — J'adore ce pull en laine mohair.
— . . . .

3 ■ — Je trouve ce polo superbe!
— . . . .

4 ■ — Comment trouves-tu cette veste en daim?
— . . . . . .

5 ■ — J'aime beaucoup ce costume gris foncé.
— . . . .

6 ■ — Il est bien ce chemisier en soie.
— . . . .

7 ■ — J'adore ce blouson en tweed!
— . . . .

8 ■ — Et ces chaussures? Moi, je les trouve très belles!
— . . . .

9 ■ — Il est magnifique, ce pantalon!
— . . . .

10 ■ — Tu aimes ce foulard vert?
— . . . .

DÉCOUVREZ les sons

L'opposition [ɛ̃] / [ɛn]

[ɛ̃] marque le masculin. [ɛn] marque le féminin.

1▶ Écoutez la différence.

Écoutez et dites si vous entendez le masculin ou le féminin des mots.

	Masculin	Féminin
1		
2		
3		
4		
5		
6		

	Masculin	Féminin
7		
8		
9		
10		
11		
12		

2▶ Jeu : Fabien et Fabienne.
Vous dites quelle est la nationalité de l'autre.

Exemple :
Fabienne est brésilienne ⟶ Fabien est brésilien.

Amusement sonore

Un gardien et une gardienne
se promènent sur les quais de la Seine.
Ils ont de la peine,
ce gardien et cette gardienne.
De la peine, pourquoi?
Il l'aime depuis une semaine,
mais elle ne le sait pas.
Elle rêve d'un marin
qui est parti hier matin
pour des terres lointaines
en lui disant : « Ma reine,
je reviens l'an prochain ».
Sur les bords de la Seine,
ils aiment, en se tenant la main,
elle le sien,
lui la sienne.

Aux Puces, tout est moins cher!

Helmut : J'ai besoin d'un blouson.

Rémi : Regarde là-bas, « ya » des blousons.

Helmut : « Ils sont » pas trop chers?

Rémi : Ici, les « fringues » sont moins chères que dans les magasins.

Helmut : Les « fringues »? Tu veux dire les vêtements! C'est la même chose?

Rémi : Oui, c'est ça.

Helmut : Je voudrais un blouson comme celui de Michael Jackson.

Rémi : Celui-là, là-bas?

Helmut : Oui, il est « chouette », je vais l'essayer.

Rémi : Attends! il est trop petit! Prends du 46.

Helmut : Mais c'est trop grand! je fais du 42!

Rémi : Pour être à la mode, il faut prendre des fringues plus larges que ta taille normale!

Helmut : Alors je prends celui-ci?

Rémi : Oui, il est plus grand et puis regarde, il est moins cher.

Helmut : Michael Jackson, il porte un blouson comme ça?

Rémi : Non, pas tout à fait, mais toi, tu n'es pas aussi riche que lui.

Faites-les parler...

Sur le stand Peugeot.

Itinéraire Bis

Le vendeur : La 205 Peugeot est plus rapide et plus confortable !

Le client : Oui, mais la Renault 5 est plus économique ! Et la Toyota ?

Le vendeur : Le rapport qualité/prix est moins intéressant. Elle coûte plus cher que la Peugeot.

Le client : Je trouve que les voitures françaises sont plus solides.

Le vendeur : Oh ! Les voitures étrangères sont aussi solides.

Le client : Mais elles sont plus chères que les voitures françaises.

Le vendeur : Pas toujours.

Le client : Il faut bien défendre le produit national !

Le vendeur : Vous avez une meilleure tenue de route avec la Peugeot 205.

Le client : En ville, la Renault 5 consomme moins.

Le vendeur : Oui, mais sur l'autoroute, la Peugeot roule plus vite.

Le client : Oh vous savez, avec la limitation de vitesse, il vaut mieux une voiture moins rapide !

Le vendeur : Vous avez raison, mais chez Peugeot, vous avez un crédit plus intéressant et un service après-vente plus sérieux.

Le client : Plus rapide, plus confortable, plus intéressant, plus sérieux ! C'est curieux, c'est exactement ce que m'a dit le vendeur de chez Renault !

Faites-les parler...

ELLE

Brigitte

GRAZIA

VOGUE PARIS

20ANS

DUNIA

ΓΥΝΑΙΚΑ

· ·

À la mode de chez nous

Lesquels préférez-vous?
Celle-ci ou celle-là?

Celui-ci ou celui-là?

LA FRANCE AU QUOTIDIEN

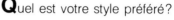

Quel est votre style préféré?

« B.C.B.G. »
(bon chic, bon genre).

Un homme élégant sera toujours un homme.

L'âme d'un artiste habite ce vêtement composé dans un moment d'inspiration.

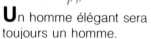

Activité

Questions de goût

• Êtes-vous pour ou contre la mode unisexe?

• Pensez-vous que la façon de s'habiller peut révéler la personnalité?

• Qu'est-ce qui est le plus important : l'allure (« le look ») ou l'élégance?

• Dans les vêtements, qu'est-ce qui est le plus important :
« les pièces du haut » : chemise, chemisier, pull, blouson, veste, chapeau?
« les pièces du bas » : pantalon, jupe, bas, chaussures?

• Est-il plus important de soigner son style pour un homme ou pour une femme?

• Choisissez un ou deux thèmes. Discutez-en par groupes de deux ou trois et préparez un petit texte pour expliquer à la classe ce que vous pensez.

Intellectuel.

« Branché. »

la mode, exercice de style

Pour séduire, la femme choisit une silhouette galbée en robe fourreau.

La femme est raffinée, précieuse.

Les jeunes et le vêtement

Pour 80 % des jeunes de 15 à 24 ans, l'habillement est quelque chose d'important. Ils soignent leur image et veulent plaire. Ils attachent beaucoup d'importance aux chaussures et aux pulls. Les jeans restent leur « must », de préférence, le Lévis. Et la classique chemise Lacoste est très appréciée.

L'intérêt pour les vêtements croît avec l'âge : chez les garçons, il se manifeste surtout à 14-15 ans et chez les filles entre 8 et 11 ans. Jusqu'à 11 ans, la mode est unisexe et les pièces du bas ont de l'importance. Après 11 ans, l'intérêt se déplace vers le haut. Au seuil de l'âge adulte, l'adolescent possède en lui les germes de son futur « look ».

1   2   3   4

Caroline Cellier

« *J'aime une mode très féminine, à la fois rigoureuse et sexy.* »

V.B. : Vous aimez la mode ?

C.C. : Pas quand elle est trop mode ! Ni forcée, ni trop « voulue ». J'aime une mode très féminine. La journée, j'aime le style décontracté : jean ou collant avec des pulls, des vestes d'hommes et souvent des bottes.

V.B. : Et le soir, le grand jeu ?

C.C. : Je ne suis pas passionnée par cela, mais de temps en temps, ça m'arrive même si cela tourne très vite au noir[1], cette couleur si belle et si mystérieuse.

V.B. : Robe ou pantalon ?

C.C. : Plutôt robe si c'est vraiment très habillé. J'aime un style à la fois rigoureux et sexy que je trouve chez Thierry Mugler, chez Alaïa, chez Angelo Tarlazzi… Je suis très sensible aux matières douces : soie, daim, lin, voile, cachemire, qui sont si fluides qu'on ne les sent pas.

Interview par Jacqueline Tenret.
Votre Beauté, sept. 89.

1. « Tourner au noir » signifie devenir tragique. Ici, l'expression signifie, au sens littéral, « je finis toujours par m'habiller en noir ».

La femme des années 90

La dame qui force notre sympathie ou notre admiration est belle (parfois), élégante (souvent) et sereine (presque toujours). Comme sa grande sœur de la décennie quatre-vingts, elle a un travail prenant qui la passionne, elle trouve le temps de s'occuper de ses deux garçons, de se passionner pour l'art aztèque ou la diététique.

Trouver son style et sa mode, ça prend du temps. Tout comme s'occuper de sa forme et de sa santé. Tout comme se distraire, regarder la télé, s'informer.

Supermadame 90 a l'air calme, jamais essoufflée par les événements. Comment fait-elle ?

Son secret : d'abord s'attaquer aux choses importantes, et laisser tomber les autres.

Sylvie, qui travaille dans un cabinet de kinésithérapie, l'a fait : « J'ai pratiquement supprimé la télévision le soir pour faire mes gammes. Finalement, maintenant que j'ai pris conscience que le temps n'était pas élastique, j'en fais plus qu'avant. Ce qui me ravit, c'est quand on me demande : « Comment arrives-tu à faire tout ça ? » Évidemment je ne dis jamais ce que je ne fais pas ».

Hélène Delpuech.
Votre Beauté, sept. 89.

Le vêtement comme marque de distinction

Dès notre naissance, un vêtement nous protège contre le froid, contre le chaud.
Mais aussi, il nous caractérise et nous distingue soit par sa couleur (rose pour les filles, bleu ou blanc pour les garçons), soit par sa marque de fabrique, donc par son prix (riches ou pauvres). Petit enfant, on apprend à porter les habits que nous mettent nos parents et puis, plus grand, on demande à avoir les mêmes vêtements que ceux de nos compagnons d'école : « eux, ils ont des jeans, je veux un jean moi aussi »; « elles, elles ont des jupes courtes ou longues, j'ai envie, moi aussi, d'une jupe courte ou longue ».
Tout ça est une question de mode.

J'apprends très tôt qu'il est important d'être à la mode : celui et celle qui ne suivent pas la mode ne sont pas aimés.

Le vêtement devient ainsi l'obsession de la vie quotidienne. On s'habille tantôt pour son plaisir, tantôt par nécessité : elle échange un jean contre une jupe et elle peut se présenter chez un futur employeur.
Il met une cravate et un veston et il peut prétendre à un emploi dans une banque.

À la plage, elle est nue ou presque nue ; au travail, elle a des robes longues et des manches, son cou est entouré d'un foulard. Dans une soirée, sa robe est décolletée, des bijoux ornent son cou. Lui, dans une soirée, porte des chemises fermées et une cravate noire. Au travail ou dans la rue, il peut avoir une chemise ouverte et des jeans.

Elle se découvre, il se couvre. Il se découvre et elle doit se couvrir. Des couleurs lui sont réservées. D'autres lui sont interdites. Mais tout cela n'est-il pas en train de changer ? Qu'en pensez-vous ?

1. Selon les étudiants qui parlent, la mode peut être extravagante. `oui` `non`

2. Dans les années 50,
une fille pouvait s'habiller très court, sans choquer. `oui` `non`

3. Pour un des étudiants,
la façon de s'habiller d'une fille le laisse indifférent. ☐
le choque. ☐
a de l'importance. ☐

4. Un des étudiants dit qu'il s'habille mieux pour les grandes occasions. ☐
qu'il s'habille « pareil » pour les grandes occasions. ☐

5. Il achète ses vêtements dans les grands magasins. ☐
des boutiques bon marché. ☐
des boutiques à la mode. ☐

6. Selon les deux étudiants,
tous les étudiants s'habillent de la même façon. ☐
il y a différentes façons de s'habiller chez les étudiants. ☐

7. Selon les étudiants, il y a des milieux où
on peut se présenter avec un polo et un jean délavé. ☐
on ne peut pas se présenter avec un polo et un jean délavé. ☐
on peut toujours s'habiller comme on veut partout. ☐

8. Selon les deux étudiants, les gens qui font des sciences
sont généralement moins classiques que ceux qui font de la psycho. ☐
sont généralement plus classiques. ☐

• •

Résumé

Selon les deux étudiants, la mode . . . . Dans les
années 50, ... Pour un des étudiants, la façon
de s'habiller d'une fille . . . . Il dit que pour les
grandes occasions, il s'habille . . . . Il achète ses
vêtements . . . .
Selon les deux étudiants, les gens qui font des sciences . . . .

le cinéma
c'est chouette

SITUATION

Vous êtes libre, ce soir?

A Jacky : Allô?

Pierre : Allô, Jacky? C'est Pierre.

Jacky : Pierre?

Pierre : Oui, vous vous rappelez la piscine, cet été?

Jacky : Ah Pierre! L'ami de Michel!

Pierre : Oui, c'est ça. Voilà, je suis à Paris ce soir. Est-ce que, par hasard, vous seriez libre?

Jacky : Oui, pourquoi?

Pierre : On pourrait peut-être se voir.

Jacky : Qu'est-ce que vous aimeriez faire?

Pierre : J'irais bien au cinéma.

Jacky : Oh, en ce moment, il n'y a rien de bon. J'ai regardé dans *Pariscope*.

Pierre : Mais si, on repasse *Chambre avec vue*, j'aimerais bien le voir.

Jacky : Moi, je l'ai déjà vu. J'ai envie de voir quelque chose de nouveau. Un instant, je vais baisser la radio... Oui, je vous écoute.

. . . .

Questions

A Où Pierre a-t-il rencontré Jacky?
Pourquoi Pierre téléphone-t-il à Jacky?
Quand vont-ils se voir?
Jacky accepte-t-elle d'aller voir Chambre avec vue *et pourquoi?*
Qu'est-ce qu'elle aimerait voir?

B Pierre : Alors vous préférez quelque chose de sérieux ou quelque chose
de comique?

Jacky : Ça m'est égal.

Pierre : Et si on allait voir le nouveau film de Woody Allen, je ne l'ai pas
encore vu. Il paraît qu'il est très bien.

Jacky : Où est-ce qu'il passe? Ce n'est pas trop loin?

Pierre : Non, c'est à Montparnasse, près de chez vous.

Jacky : Ah bon, alors d'accord. On se retrouve devant le cinéma, à
Montparnasse.

Pierre : Je pourrais peut-être passer vous prendre chez vous, si vous
voulez?

Jacky : Eh bien... Hum...

Pierre : Alors, on se retrouve devant le cinéma.

B *Pierre fait une proposition. Laquelle?*
Est-ce que Jacky accepte tout de suite?
Où passe le film?
Pierre fait une nouvelle proposition. Laquelle?
Jacky accepte-t-elle?

DÉCOUVREZ les règles

Je **la** trouve très bien.
J'aimerais bien **le** voir.
Je **l'**ai déjà vu.
Je ne **l'**ai pas encore vu.
Je pourrais passer **vous** prendre ?

Observez les places
des pronoms objets.

Il n'y a **rien de** bon.
J'ai envie de voir **quelque chose de** nouveau.
Vous préférez **quelque chose de** sérieux ?
Ou **quelque chose de** comique ?

Observez.

Il n'y a rien de bon.
Ce n'est pas trop loin ?
Où est-ce qu'**il** passe ?
Il paraît qu'**il** est bien.
C'est à Montparnasse.

Observez les pronoms **ce** et **il**.
À quoi renvoient-ils ?

Faites-les parler...

Est-ce que vous ser**iez** libre par hasard?
Qu'est-ce que vous aimer**iez** faire?
J'ir**ais** bien au cinéma.
J'aimer**ais** bien le voir.
Je pourr**ais** passer vous prendre.

Observez le conditionnel.

Je l'ai **déjà** vu.
Je **ne** l'ai **pas encore** vu.

Observez.

Vous vous rappelez la piscine?
On pourrait peut-être **se voir**?
On se retrouve devant le cinéma?

Observez les verbes pronominaux.

Si on allait voir le nouveau film?

Comment pouvez-vous le dire autrement?

• •

Faites-les parler...

MANIÈRES de dire

1. *Dans la ou les situation(s) (pp. 146 et 147 ou pp. 157 et 158), trouvez des formes qui permettent de* **proposer quelque chose.**
. . . . . .

2. *Trouvez des formes qui permettent de* **refuser une proposition** *de manière directe ou indirecte.*
. . . . . .

3. *Trouvez des formes qui permettent d'***accepter une proposition** *de manière directe ou indirecte.*
. . . . . .

À VOUS de parler

Jeu de rôles à deux personnages : celui qui invite et celui qui est invité.

Vous voulez inviter quelqu'un à sortir avec vous.
Vous rencontrez un ami dans la rue, vous le saluez.
Il vous répond.
Vous lui demandez ce qu'il fait ce soir-là.
Il vous répond.
Vous faites une proposition.
Il refuse.
Vous proposez autre chose.
Il dit en hésitant qu'il sort avec quelqu'un d'autre.
Vous demandez des précisions.
Il répond en vous invitant ou sans vous inviter.
Vous réagissez.

Jeu de rôles à deux personnages : vous téléphonez chez un/une ami(e); il/elle répond.

Vous lui proposez une sortie.
Elle refuse.
Vous insistez.
Elle refuse à nouveau en donnant une raison.
Vous comprenez que c'est une excuse et qu'elle n'est pas toute seule : vous lui dites que vous avez compris.
Elle répond avec diplomatie.

Exercices

1

Politesse oblige

Dites la même chose mais en utilisant un style plus soutenu.
Cherchez qui parle à qui et, ensuite, trouvez la forme qui convient.

1. On va au cinéma? . . . .
2. Qu'est-ce que tu fais ce soir? . . . .
3. Je passe te prendre à 8 heures? . . . .
4. Rendez-vous devant le théâtre! . . . .

2

Si? Oui? Non?

1. Tu n'aimes pas Alain Delon?
Vous l'aimez : . . . .
Vous ne l'aimez pas : . . . .
2. Vous ne voudriez pas partir en vacances?
Vous voudriez bien : . . . .
Ça ne vous dit rien : . . . .
3. Tu peux passer me prendre chez moi?
Vous pouvez : . . . .
Vous ne pouvez pas : . . . .
4. C'est Bertrand Tavernier qui a réalisé *Un dimanche à la campagne*.
Vous dites que c'est lui : . . . .
Vous dites que ce n'est pas lui : . . . .
5. Vous n'avez pas vu *L'Ours*?
Vous l'avez vu : . . . .
Vous ne l'avez pas vu : . . . .

3

Économie de moyens

Vous savez de qui ou de quoi on parle, vous utilisez seulement le pronom.

1. Votre ami(e) vous propose d'inviter Sophie.
a. Vous avez envie : . . . .
b. Vous n'avez pas envie : . . . .
2. Votre ami(e) vous demande si vous avez vu *Trois Hommes et un couffin*.
a. . . . .
b. . . . .
3. Votre ami(e) vous demande si vous ne pouvez pas passer prendre Pierre.
a. . . . .
b. . . . .
4. Votre ami(e) vous demande si vous n'avez pas envie de voir *Le Grand Bleu*.
a. . . . .
b. . . . .

Trop, c'est trop!

Répondez en justifiant votre refus : trop tôt, trop tard, trop loin, trop près.

1. – Demain, on part à 5 heures du matin.
   – . . . . . .

2. – Pour les vacances, on pourrait aller à l'Île de Pâques !
   – . . . . . .

3. – Il ne reste que deux places au premier rang, vous les voulez?
   – . . . . . .

4. – Il y a une séance à 22 heures.
   – . . . . . .

5. – Vous voulez ces deux places au fond de la salle?
   – . . . . . .

5

Vous avez une solution?

Votre ami(e) a des problèmes. Suggérez-lui des solutions.

Pour donner vos conseils, utilisez « et si tu prenais... », « peut-être que... », « tu pourrais... ».

1. – Mon appartement est vraiment trop bruyant.
   – . . . . . .

2. – Je m'ennuie le soir. Je ne sais jamais quoi faire.
   – . . . . . .

3. – J'ai des difficultés à comprendre le français.
   – . . . . . .

4. – J'ai grossi cet hiver, mes jeans ne me vont plus.
   – . . . . . .

5. – Je dois aller à un mariage, mais je ne sais pas comment m'habiller.
   – . . . . . .

6. – Je ne peux pas sortir le soir. Mes parents ne le veulent pas.
   – . . . . . .

VOTRE grammaire

Pour suggérer ou proposer quelque chose

Proposer quelque chose

Vous voulez sortir?
On pourrait sortir?
Vous aimeriez sortir?
Si on allait au cinéma?

Exprimer son désir

J'aimerais voir un film.
Je voudrais aller au cinéma.
J'ai envie d'aller au cinéma,
de voir quelque chose de nouveau.
Je préfère rester à la maison.

Place des pronoms personnels

Je l'aime.
Je ne l'aime pas.
Je l'ai déjà vu.
Je ne l'ai pas encore vu.

J'aimerais bien **le** voir.
Je n'ai pas envie de **le** connaître.

Oui, non, si

– Voulez-vous sortir avec moi?
– **Oui,** je veux bien.
– **Non,** je suis occupée.

– Vous **ne** voulez **pas** sortir avec moi?
– **Si,** j'aimerais bien.
– **Non,** je suis occupée.

Apprécier le temps

Il est **tôt.**
Il est **tard.**

C'est **trop** tôt (pour...).
C'est **trop** tard (pour...).

Apprécier l'espace

C'est **loin.**
C'est **près.**

C'est **trop** loin (pour...).
C'est **trop** près (pour...).

Situer dans l'espace

derrière l'Arche

à côté de l'Arche

devant l'Arche
en face de l'Arche

LA CONJUGAISON DES VERBES AU CONDITIONNEL

Aimer	**Vouloir**	**Pouvoir**
J'aimerais	Je voudrais	Je pourrais
Tu aimerais	Tu voudrais	Tu pourrais
Il/elle/on aimerait	Il/elle/on voudrait	Il/elle/on pourrait
Nous aimerions	Nous voudrions	Nous pourrions
Vous aimeriez	Vous voudriez	Vous pourriez
Ils/elles aimeraient	Ils/elles voudraient	Ils/elles pourraient

VÉRIFIEZ
vos connaissances

Complétez les phrases suivantes et retrouvez les trois dialogues ou situations qui correspondent aux trois dessins.

1 ■ – Tu es libre? ...... *la Guerre des étoiles.*
– Je n' ...... pas envie ...... voir. Je ...... vu.
– Moi, je ...... ai pas ...... vu.

2 ■ – Vous n'avez pas vu *le Grand Bleu?*
– ......, je ...... déjà vu.
– Vous ...... voir ...... de comique?
– Non, je préfère ...... sérieux.

3 ■ – Tu ...... de voir *Trois hommes et un couffin?* C'est un bon film?
– Oui, je ...... trois fois.
– Alors, pourquoi veux-tu encore ...... revoir?
– Parce que les places, je ...... ai gratuitement.

4 ■ **a.** Demandez à vos parents la permission d'inviter quelqu'un à la maison.
....
b. Proposez à une camarade de venir passer le week-end chez vos parents.
....
c. Suggérez à votre professeur une sortie culturelle.
....
d. Appréciez deux films en les comparant.
....
e. Vous refusez une invitation à la campagne en donnant une raison.
....

DÉCOUVREZ les sons

1▶ Écoutez la différence. Essayez de distinguer les sons [i], [y], et [u].

Le [y] est aigu, comme le [i], alors que le [u] est plus grave : « En musique! »

Exemples :

[i]	[y]	[u]
dis!	dû?	doux
si!	su?	sous
nie!	nu?	nous
pire!	pur?	pour
parti!	pars-tu?	partout
ris!	rue?	roue

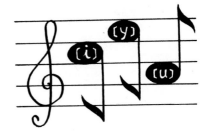

2▶ Écoutez et mettez une croix (x) chaque fois que vous entendez [y].

	J'entends [y]
1	
2	
3	
4	
5	
6	
7	
8	

	J'entends [y]
9	
10	
11	
12	
13	
14	
15	

3▶ Écoutez et répétez après le modèle.

4▶ Écoutez et répétez après le modèle.

Amusement sonore

Déjà,
la brume s'est perdue
dans le lointain.
Maintenant,
une pluie de lune
glisse sur les dunes
et les prunes parfument
mon jardin.
Dans la ruelle,
des muses murmurent
un chant d'amour.
Une flûte s'amuse
chez mon voisin.
Alors, la nuit s'allume
et s'illumine,
pour les lutins.
Sur un rayon de lunè,
une plume est descendue
pour jouer
dans le bassin.

Les copains d'abord!

Itinéraire
Bis

Simon : Qu'est-ce que tu fais ce soir?
 Éric : Je sors avec une copine, et toi?
Simon : Moi?... Rien...
 Éric : « Ben », tu veux venir avec nous?
Simon : Qu'est-ce que vous faites?
 Éric : On va au cinéma.
Simon : Qu'est-ce que vous allez voir?
 Éric : *La Guerre des étoiles.*
Simon : Encore! Je l'ai vu trois fois!
 Éric : Moi aussi, mais ma copine, « elle l'a pas vu ».
Simon : On pourrait aller voir *le Grand Bleu?* C'est très « chouette »!
 Éric : Attends! Je vais voir si Sandrine est d'accord.
Simon : Tu m'appelles alors? Je rentre à la maison.
 Éric : O.K., salut!

● ●

Faites-les parler...

Le déjeuner sur l'herbe.

Itinéraire
Bis

Lui : Il fait beau aujourd'hui! Nous pourrions sortir.

Elle : Où voulez-vous aller? Il n'est que 8 heures du matin!

Lui : Bien, je ne sais pas exactement. Nous pourrions nous promener.

Elle : Oui, mais où?

Lui : Au parc de Sceaux, par exemple.

Elle : Pour quoi faire?

Lui : Eh bien pour respirer l'air pur, voir des fleurs.

Elle : Nous pourrions aussi faire un pique-nique! J'adore les déjeuners sur l'herbe!

Lui : Il faut faire des courses alors.

Elle : C'est cela : allez donc au marché, achetez des fruits, une salade et un poulet rôti, ce que vous voulez.

Lui : Et si on invitait Marc? Il est seul à Paris en ce moment.

Elle : Oui, quelle bonne idée, mais... il est peut-être trop tôt pour lui téléphoner?

Lui : Sans doute... Que suggérez-vous en attendant?

Elle : Laissez-moi dormir!...

Faites-les parler...

le cinéma, c'est chouette !

Le Grand Bleu (1987), *comédie dramatique française* de Luc Besson.
C'est l'aventure sous-marine de deux plongeurs qui descendent sans masque à plus de 100 mètres de profondeur. C'est aussi une histoire d'amour avec la mer et ses mystères.
(Pariscope, une semaine de Paris.)

La vie est un long fleuve tranquille (1987), *comédie française* d'Étienne Chatiliez.
Deux familles nombreuses, l'une riche, l'autre pauvre, apprennent que, à leur naissance, leurs enfants avaient été échangés à l'hôpital douze ans auparavant. Les familles se rencontrent...
(Pariscope, une semaine de Paris.)

1. Jean-Paul Belmondo.
2. Catherine Deneuve.
3. Ornella Mutti.
4. Gérard Depardieu.

Chambre avec vue (1985), *comédie anglaise* de James Ivory.
Au début du siècle, une jeune Anglaise très conventionnelle passe ses vacances en Italie. Elle rencontre, à l'hôtel où elle est logée à Florence, un jeune Anglais très peu conventionnel : elle tombe amoureuse de lui. Mais, hélas, elle est déjà fiancée en Angleterre...
(Pariscope, une semaine de Paris.)

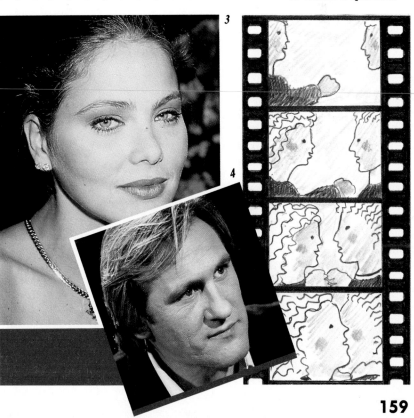

Les films qu'ils aiment

Les jeunes	Les adultes
passionnément	
les films comiques les films d'aventure	les films comiques les films d'aventure
beaucoup	
les films de science-fiction les films fantastiques les films policiers les films d'horreur	les films policiers les histoires d'amour
un peu	
les histoires d'amour les films à sujet politique	les films de science-fiction les films à sujet politique
pas du tout	
les films érotiques les dessins animés	les films d'horreur les films érotiques

Le label « Chouette »

Ce label est décerné par l'Association pour le cinéma et la jeunesse. Il aide les adolescents à choisir leur film. Il n'est pas décerné aux films violents ou à la sexualité malsaine.

Activité

• Faites un questionnaire pour découvrir quelles sont les habitudes de « cinéphile » de votre groupe.
• Faites passer ce questionnaire dans d'autres classes.
• Faites, d'après les réponses au questionnaire, le portrait du cinéphile-type.

L'emploi du temps libre des Français

« Depuis un an, cela vous est-il, ou non, arrivé au moins une fois...? »

	1984 %	1981 %	1973 %
• D'aller au cinéma :			
Oui	**51**	**50**	**52**
Non	49	50	48
• De visiter des monuments historiques :			
Oui	**36**	**32**	**32**
Non	64	68	68
• De visiter un musée :			
Oui	**26**	**30**	**27**
Non	74	70	73
• De voir une exposition de peinture, de sculpture :			
Oui	**23**	**21**	**18**
Non	77	70	73
• D'assister à un spectacle de variétés, music-hall, chansonniers :			
Oui	**21**	**10**	**11**
Non	79	90	89
• D'emprunter un livre ou un disque dans une bibliothèque ou discothèque :			
Oui	**20**	–	–
Non	80	–	–
• D'aller au théâtre, voir une pièce jouée par des professionnels :			
Oui	**15**	**10**	**12**
Non	85	90	88

Ces statistiques ne sont pas complètes. Cela est volontaire (enquête du ministère de la Culture).

LA FRANCE AU QUOTIDIEN

La France coupée en deux

Aujourd'hui, les Français consacrent de plus en plus de temps à leurs loisirs, mais ils pratiquent des activités très variées : sport, lecture, fréquentation des musées et des expositions. La pratique des loisirs dépend du niveau scolaire. Les activités culturelles et sportives (théâtre, musique, jogging, etc.) sont celles des diplômés. Les loisirs de masse (radio, télévision, jeux d'argent, etc.) sont ceux des catégories qui ont le niveau d'instruction le plus faible. Et pourtant, ce n'est pas une question d'argent. Alors, pourquoi? Manque d'expérience ou peur de la nouveauté? La France a tendance à se couper en deux.

Que faire? Un ciné?

« Qu'aimez-vous faire quand vous ne travaillez pas? »

Aller au cinéma	**49 %**
Vous réunir avec des copains	**46 %**
Écouter de la musique	**44 %**
Pratiquer un sport	**42 %**
Voir votre petit(e) ami(e)	**28 %**
Regarder la télévision	**24 %**
Aller danser	**20 %**
Faire les boutiques	**17 %**
Lire des bandes dessinées	**10 %**
Jouer avec des jeux électroniques	**8 %**
Aller au théâtre	**2 %**
Avoir une réunion de famille	**2 %**
Rien	
Sans opinion	

Les 13-17 ans interrogés ont pu donner des réponses multiples (Sondage *Madame Figaro*/SOFRES, avril 1986).

• • • • • • • • • • •

Et lorsque vous sortez au cinéma, préférez-vous y aller seul ou accompagné?

Les préférences des jeunes Français :

Seul	**2 %**
A deux	**17 %**
En groupe avec des copains	**72 %**
Avec leurs parents	**3 %**
Sans opinion	**6 %**

> *En moyenne, le téléspectateur français passe 3 heures 26 minutes par jour devant son poste de télévision (sondage INSEE 1987).*

« Je sors, je vais au cinéma avec une copine... »

Les jeunes, de 15 à 25 ans, constituent la moitié du public des cinémas en France. Les adolescents délaissent la télévision pour aller au cinéma. La télévision, on la regarde en famille, le soir à l'heure des repas. À quinze ans, ce n'est pas très drôle. Le cinéma, c'est l'évasion, la liberté, le partage des émotions avec les copains. Alors le cinéma, les jeunes aiment beaucoup, la télé un peu.

Les films sur l'adolescence montrent ce désir d'être ensemble. On dîne rapidement au fast food, on se réunit devant le cinéma autour des mobylettes. À l'intérieur, on échange les premiers baisers. On pénètre dans l'univers des adultes. Le cinéma est une fête.

Mais la moitié des Français ne vont jamais au cinéma. Les adultes préfèrent la télévision (33 %). Ce sont surtout les femmes et les couples mariés, les personnes âgées et les habitants des campagnes. Seulement 12 % des adultes vont au cinéma.

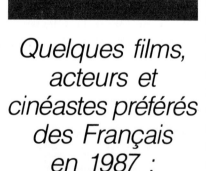

Le petit écran

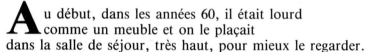

- **A**u début, dans les années 60, il était lourd comme un meuble et on le plaçait
- dans la salle de séjour, très haut, pour mieux le regarder.
- Puis, peu à peu, il est devenu plus petit, plus discret
- pour intégrer un rayon de bibliothèque.
- Maintenant, il est portatif et on le promène
- d'une pièce à l'autre : dans la cuisine, pendant
- la préparation des repas et dans la chambre à coucher,
- pour regarder une émission avant de s'endormir.
- Avant, il diffusait en noir et blanc;
- maintenant, qui n'a pas la télévision en couleur ?
- D'abord, il y a eu la première chaîne et puis la deuxième.
- Un jour, il y a eu la trois et, maintenant, on peut
- regarder la sept...
- Aux débuts de la télévision, les programmes ne commençaient
- que dans la soirée. Maintenant, dès 7 heures du matin
- et jusqu'à 24 heures, on peut rester planté devant le petit écran.
- Bien sûr, il y a ceux qui sont « pour » la télévision
- et ceux qui sont « contre ».
- Il y a ceux qui trouvent tout très bien
- et ceux qui sont délicats et qui disent
- que « la télévision est nulle ».
- Certains pensent que la télévision est éducative,
- d'autres sont persuadés que c'est à cause de la télévision
- que les jeunes ne lisent plus et n'écrivent plus.
- On dit même que la télévision empêche de penser
- de façon logique et cohérente :
- « Quand les enfants veulent raconter une émission,
- ils sont incapables de le faire intelligemment.
- Ils font des bruits de bombe, de chute, de klaxon,
- et il faut les comprendre avec des
- « boom », « toc », « pof », « bing » ou « bang ».
- Certains pensent que la télévision a du bon
- et qu'elle permet de connaître le monde sans se déplacer :
- « Grâce à la télévision, on a toutes les informations.
- En quelques minutes, on passe de Tokyo à New York,
- on s'arrête à Téhéran ou au Liban. »
- Mais des sondages prétendent qu'on ne retient presque rien
- de ces informations...
- La télévision ne serait-elle qu'un divertissement ?
- Le téléspectateur ne serait-il qu'une « Belle au bois dormant » ?

Quelques films, acteurs et cinéastes préférés des Français en 1987 :

Les films : Crocodile Dundee, Le nom de la Rose, Platoon.
Les acteurs : J.-P. Belmondo, G. Depardieu, D. Hoffmann.
Les cinéastes : F. Truffaut, A. Hitchcock, S. Spielberg.

EST-CE QUE

vous avez compris?

1. La cliente est veuve. ☐
 célibataire. ☐
 divorcée. ☐

2. La cliente est très jeune. ☐
 n'est plus toute jeune. ☐

3. La cliente ne travaille pas. ☐
 est femme au foyer. ☐
 est femme de ménage. ☐
 travaille à la télévision. ☐

4. La cliente a trouvé l'homme de sa vie à la télévision. ☐
 n'a pas trouvé l'homme de sa vie. ☐

5. La cliente aimerait vivre à la montagne. ☐
 à la campagne. ☐
 en ville. ☐

6. La cliente voudrait épouser un fermier. ☐
 un paysan. ☐
 un pêcheur. ☐
 un marin. ☐

7. La cliente pourrait s'occuper du ménage. ☐
 des enfants. ☐
 de la ferme. ☐
 de la terre. ☐

8. La cliente a des chats. ☐
 n'a pas de chat. ☐

9. La cliente n'a jamais vu une ferme. ☐
 a déjà travaillé dans une ferme. ☐

10. Actuellement, beaucoup de femmes désirent retourner à la terre. ☐
 peu de femmes. ☐
 très peu de femmes. ☐

11. La cliente n'a aucune chance de trouver un mari. ☐
 a des chances de trouver un mari. ☐
 a peu de chances de trouver un mari. ☐

Résumé

La cliente de cette agence matrimoniale travaille
. . . . Elle est . . . . . . , elle . . . . . jeune, elle
est . . . . . . Elle aimerait . . . . . . Elle pourrait
s'occuper . . . . . parce qu'elle . . . . . . La cliente
. . . . . parce que, actuellement, ...

la femme
de jean yannick bellon

Un petit poisson, un petit oiseau
s'aimaient d'amour tendre.
Mais comment s'y prendre
quand on est dans l'eau ?

Chanson interprétée par J. Gréco

"Loin des yeux
loin du cœur".

D'HIER À DEMAIN IMAGES DU TEMPS

J'ai passé une bonne soirée.

A Jacky : Qu'est-ce qu'il y avait hier à la télé? Je ne l'ai pas regardée.
Cécile : Hier soir? Il y avait un film extra à la télé : *le Nom de la rose*.
Jacky : C'était bien? Moi, je ne l'ai pas vu.
Cécile : Oui, très très bien. Et vous, qu'est-ce que vous avez fait? Vous êtes sortie?
Jacky : Oui, je suis allée au cinéma. J'ai vu *Une autre femme* de Woody Allen.
Cécile : Vous avez aimé?
Jacky : Oui, j'ai bien aimé, ce n'était pas mal.

B Jacky : Tiens! Voilà Pierre! Bonjour!
Pierre : Bonjour! Vous avez fini de jouer?
Jacky : Ah non, on commence!
Cécile : Il est sympa, Pierre.
Jacky : Ah vous aussi, vous le trouvez bien?
Cécile : Oui… Mais je ne le connais pas très bien. Je connais surtout Michel.
Jacky : Eh bien moi, je suis sortie avec Pierre, hier soir.
Cécile : Ah! C'est pour ça que vous n'avez pas regardé la télé… Et vous avez passé une bonne soirée?
Jacky : Excellente! Il a été charmant. Il était très en forme, hier soir.

Questions

A *Quel film Cécile a-t-elle regardé à la télévision?*
Qu'a-t-elle pensé de ce film?
Jacky l'a-t-elle regardé aussi?
Qu'a-t-elle fait alors?
Qu'a-t-elle pensé de sa soirée?

B *Qu'est-ce que Cécile pense de Pierre?*
Est-ce qu'elle le connaît bien?
Jacky a envie de parler de Pierre. Que dit-elle?
Quelle est la réaction de Cécile?

DÉCOUVREZ les règles

J'**ai passé** une bonne soirée.
Je ne l'**ai** pas **regardée**.
Je ne l'**ai** pas **vu.**
Qu'est-ce que vous **avez fait**?
Vous **êtes sortie**?
Je **suis allée** au cinéma.
J'**ai vu** *Une autre femme.*
Vous **avez aimé**?
J'**ai** bien **aimé**.
Vous **avez fini** de jouer?
Je **suis sortie** avec lui, hier soir.
Vous n'**avez** pas **regardé** la télé.
Vous **avez passé** une bonne soirée?
Il **a été** charmant.

Observez le fonctionnement
du passé composé.

Qu'est-ce qu'il y **avait**, hier soir, à la télé?
Il y **avait** un film extra.
C'**était** bien?
Ce n'**était** pas mal.
Il **était** très en forme, hier soir.

Observez l'imparfait.
Ici, à quoi sert
ce temps du passé?

Il **a été** charmant,
il **était** très en forme, hier soir.

Observez l'emploi
des deux temps du passé
dans la même phrase.

Faites-les parler...

MANIÈRES de dire

*Relevez dans la ou les situation(s) (p. 166 ou pp. 175 et 176), comment on peut faire un **récit d'actions** et **d'états passés**.*

Récit d'actions passées
. . . . . .

Récits d'états passés
. . . . . .

À VOUS de parler

*J*eu de rôles à deux personnages :
A interroge B sur ce qu'il a fait la veille.

A pose la question.
B répond.
A demande ses impressions.
B répond.
A demande des détails/explications.
B répond.
A dit ce qu'il a fait la veille.
B demande aussi des détails/explications.
A répond.

*J*eu de rôles à deux personnages :
A interroge B sur la personne
avec qui il est sorti hier soir.

A demande à B ce qu'il a fait la veille.
B répond qu'il est sorti.
A demande s'il est sorti seul.
B répond (il n'est pas sorti seul).
A demande avec qui B est sorti.
B répond d'une manière vague.
A demande s'il connaît la personne.
B ne donne pas de réponse précise.
A demande comment s'est passée la soirée.
B répond.

Exercices

1

Elle a eu de la chance.

Josiane habite un petit pavillon à Meudon.

Ce jour-là, elle sort de chez elle à 4 heures. Elle va faire des courses. Elle rentre trente minutes après.

Elle ouvre la porte de son appartement. Dans le salon, sa télévision et sa chaîne Hi-Fi ne sont plus là. Elle va dans sa chambre. Elle voit trois grands sacs, la fenêtre est ouverte et il y a une corde attachée. Elle ouvre les sacs et dedans, il y a sa télé et sa chaîne.

Dialogue avec l'agent de police :
L'agent : À quelle heure êtes-vous sortie de chez vous?
Josiane : . . . . . .
L'agent : À quelle heure êtes-vous rentrée?
Josiane : . . . . . .
L'agent : Vous avez trouvé votre porte ouverte?
Josiane : . . . . . .
L'agent : Qu'est-ce que vous avez vu alors?
Josiane : D'abord, ... ,
alors . . . . . . ,
ensuite . . . . . . ,
enfin . . . .
L'agent : Signez votre déclaration, s'il vous plaît.

2

On s'est bien amusés.

Décrivez ce qui se passait dans cette soirée quand vous êtes arrivé.

Hier soir, il y avait de l'ambiance! . . . . . .

3 Et pourquoi?

**Vous devez donner une explication. Utilisez « c'est pour ça que . . . »
ou « parce que . . . ».**

Exemple :
Il est rentré à 10 heures du soir, c'est tôt!
  – Il était fatigué, c'est pour ça qu'il est rentré à 10 heures.
  – Il est rentré à 10 heures parce qu'il était fatigué.

1. – Les voleurs n'ont rien emporté. Pourquoi?
  – . . . .

2. – Elle s'est bien amusée hier soir. Pourquoi?
  – . . . .

3. – Les Brésiliens n'ont pas aimé la viande. Pourquoi?
  – . . . .

4. – Jacky a passé une bonne soirée avec Pierre. Pour quelle raison?
  – . . . .

5. – La boom était très réussie. Pourquoi?
  – . . . .

4 Une soirée particulière

Racontez ce qui s'est passé et dites comment étaient les personnages.

Exemple :
Il **a été** charmant, il **était** en forme hier soir.

1. Au restaurant, hier soir, Pierre . . . .   parler
                                                          être très excité

2. Moi, ...   ne pas manger
                             ne pas avoir faim

3. À un moment, j'. . . . . . .   pleurer
                                        être triste

4. Après, on . . . .   aller danser
                                   être très content

5. À minuit, nous . . . .   rentrer
                                        être très fatigué(s)

5 Jeu du cadavre exquis

Jouez par groupes de quatre.

A écrit	B écrit	C écrit	D écrit
un nom de personne	un verbe au passé	« c'est pour ça que » ou « parce que » + un nom de personne	un verbe au passé

VOTRE grammaire

Le passé composé et l'imparfait

J'**ai voulu** te faire plaisir.
ou
Je **voulais** te faire plaisir.
Les deux phrases sont possibles.

Il y a deux manières de considérer un événement passé (action ou état) :

pendant le déroulement

Je **voulais** partir.
Je **marchais** longtemps.
J'**habitais** à Paris.

IMPARFAIT

après le déroulement

J'**ai voulu** partir.
J'**ai marché** longtemps.
J'**ai habité** à Paris.

PASSÉ COMPOSÉ

Exemples d'actions ou d'états considérés :

pendant le déroulement

Il y **avait** un bon film à la télé, hier soir.
Pierre **était** en forme.
Au restaurant, il y **avait** de l'ambiance.
Pierre **était** charmant.

après le déroulement

Cécile **a regardé** le film.
Jacky **est allée** au cinéma.
Elle **a passé** une bonne soirée.
Elle **est sortie** avec Pierre.
Il **a été** charmant.

Passé composé et imparfait : une question de point de vue

Actions ou états vus après leur déroulement

Pierre **a été** charmant,
Nous **avons regardé** un film à la télé,
On **s'est** bien **amusés**,
J'**ai vu** Pierre et Jacky,

Actions ou états vus pendant leur déroulement

il **était** en forme hier soir.
il n'**était** pas très bon.
il y **avait** beaucoup de jeunes.
ils **allaient** au cinéma hier soir.

La conjugaison du passé composé

Avec l'auxiliaire « avoir »

J'**ai regardé** la télé.
Tu **as vu** Pierre ?
Il/elle **a été** charmant(e).
On **a passé** un bon moment.
Nous **avons passé** une bonne soirée.
Vous **avez fait** un voyage ?
Ils/elles **ont fini** de jouer.

Avec l'auxiliaire « être »

Je **suis sorti(e)** avec Pierre.
Tu **es allé(e)** au cinéma ?
Il/elle **est allé(e)** à la gare.
On **est partis** à 5 heures.
Nous **sommes rentré(e)s** tard.
Vous **êtes arrivé(e)s** tôt.
Ils/elles **sont monté(e)s.**

À la forme négative
Je n'**ai** pas **vu** Pierre.
Tu n'**es** pas **allé(e)** au cinéma ?
Vous n'**avez** pas **regardé** la télé ?
On n'**est** pas **sortis.**
Ils ne **sont** pas **venus.**

171

La conjugaison de l'imparfait

Le verbe « être »

Hier soir, j'ét**ais** fatigué(e).
Où ét**ais**-tu ?
Il/elle/on ét**ait** au cinéma.
Nous ét**ions** à la maison.
Vous ét**iez** chez vous ?
Ils/elles ét**aient** en forme.

Le verbe « avoir »

J'av**ais** mal à la tête.
Tu av**ais** froid.
Il/elle/on av**ait** chaud.
Nous av**ions** faim.
Vous av**iez** l'air en forme.
Ils/elles av**aient** peur.

Quelques participes

L'infinitif est en -er		L'infinitif est en -ir		L'infinitif est en -oir, -oire, -ire, -tre, -dre, ...			
aller	all**é**	partir	parti	voir	v**u**	vouloir	voul**u**
regarder	regard**é**	sortir	sorti	savoir	s**u**	devoir	d**û**
monter	mont**é**	finir	fini	lire	l**u**	connaître	conn**u**
		choisir	choisi	boire	b**u**	vendre	vend**u**
				pouvoir	p**u**	perdre	perd**u**

Autres cas de participes

être	été	faire	fait	offrir	offert
avoir	eu	mettre	mis	dire	dit
naître	né	prendre	pris	venir	venu
mourir	mort	ouvrir	ouvert	plaire	plu

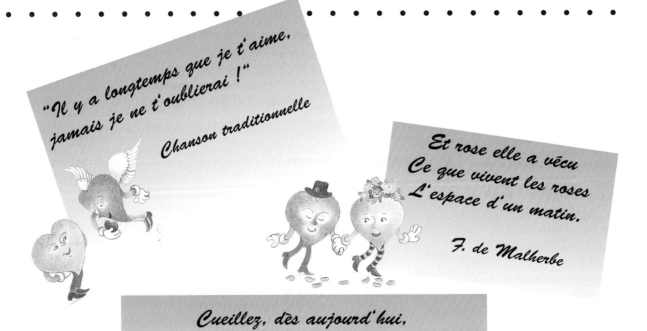

« Il y a longtemps que je t'aime,
jamais je ne t'oublierai ! »

Chanson traditionnelle

Et rose elle a vécu
Ce que vivent les roses
L'espace d'un matin.

F. de Malherbe

Cueillez, dès aujourd'hui,
les roses de la vie.

P. de Ronsard

VÉRIFIEZ
vos connaissances

a

b

Complétez les phrases suivantes.

1 ■ — Comment vous l'avez trouvé le film, hier?

— . . . .

— Et *le Nom de la rose,* vous l'avez vu?

— . . . .

— Moi non plus! Vous êtes sorti seul?

— . . . .

— Vous êtes rentré tard?

— . . . .

2 ■ — Alors, Annie, vous . . . . . . sortie avec Pierre?

— Non, ...

— Vous . . . . . . regardé la télé? Qu'est-ce que vous . . . . . . ?

— . . . .

— Vous . . . . . . aimé?

— Ah non, ...

— Pourquoi?

— . . . .

3 ■ Observez les formes et dites qui parle.
a. Je suis allé au cinéma.

. . . .

b. Je ne suis pas resté.

. . . .

4 ■ Observez les formes et dites à qui on parle.
a. Vous êtes allées au cinéma?

. . . .

b. Vous êtes allé au cinéma?

. . . .

c. Vous êtes allés au cinéma?

. . . .

DÉCOUVREZ les sons

1▶ **Comment prononcer le [ʒ] de « je joue dans le jardin ».**
Pratiquez.

1. Chou   ⟶ Joue!
2. Schème ⟶ J'aime!
3. Chant   ⟶ Gens/Jean
4. Chêne   ⟶ Gêne
5. Cheveux ⟶ Je veux

2▶ **Comment prononcer le [j] de « fille ».**
Pratiquez.

1. hier
2. fille
3. bille
4. grille
5. taille
6. maille

IL N'Y A QUE MOI QUI M'AILLE.

3▶ **Distinguez maintenant le [ʒ] de « je » et le [j] de « hier » et répétez après le modèle.**

4▶ **La chute du [ə] dans certains groupes de mots.**

Quand on dit « en ce moment », on compte quatre syllabes mais on peut prononcer ce groupe de mots en trois syllabes en faisant tomber le [ə]. Ceci est très fréquent dans la conversation ordinaire.

En ce mo-ment ⟶ enc' mo-ment
 1 2 3   4   1   2   3
L'a-mi de Mi-chel ⟶ l'a mid' Mi-chel
 1 2 3 4 5   1   2   3   4

Écoutez les phrases suivantes et répétez.

Amusement sonore

Jacques et Gilles

Jacques a dit : « Je t'aime. »
Gilles a offert une rose rouge.
Jacques est devenu pâle de rage.
Gilles a cueilli des jonquilles.
Jacques a jauni de jalousie.
Gilles a jeté sa jaquette par terre.

La jolie Jeanne a rougi de plaisir.
Elle a mis la rose rouge à son corsage
et les jonquilles dans un vase de jade.
Jacques a dit : « Adieu. »
Gilles a dit : « Tant mieux! »
Jeanne s'est assise dans le jardin
sur la jaquette de Gilles.

Tu l'as trouvée comment?

François : Tu l'as trouvée comment, ma copine?
Jacques : Qui? Caroline?
François : Oui, Caroline.
Jacques : Elle est euh...
François : « Ben », elle ne te plaît pas alors?
Jacques : Ah non! Je n'ai pas dit ça! Je l'ai trouvée bien, mais ce n'est pas mon genre.
François : Tu n'aimes pas les blondes?
Jacques : Ce n'est pas ça! Hier soir, j'étais fatigué.
François : Ah! C'est pour ça que tu n'es pas resté?
Jacques : Oui, et puis mes parents n'aiment pas quand je rentre tard.
François : C'est dommage parce que, tu sais, Caroline a joué de la guitare après. C'était fantastique! On s'est bien amusés.
Jacques : *(soupir d'indifférence)*

Faites-les parler...

Il y avait de l'ambiance.

Itinéraire *Bis*

Lui : Vous avez aimé notre petit restaurant, hier soir?

Elle : Oui, ce n'était pas mal. En tout cas, il y avait de l'ambiance!

Lui : De l'ambiance? Il y avait trop de bruit et trop de monde, mais ce n'était pas mauvais.

Elle : C'était même très bon! Et puis les serveurs étaient très aimables.

Lui : C'est vrai. Surtout le petit frisé! Il vous regardait tout le temps...

Elle : C'est curieux, il y avait beaucoup d'étrangers dans ce restaurant. J'ai entendu parler anglais, espagnol, portugais.

Lui : Oui, en effet, il y avait des Brésiliens à côté de nous, ils parlaient et riaient beaucoup...

Elle : Oui, j'ai entendu! Ils étaient amusants! Ils n'aimaient pas la viande, ils ne la trouvaient pas assez cuite.

Lui : Oui, j'ai remarqué... Vous étiez très intéressée par la conversation des Brésiliens.

Elle : Oui, je me suis bien amusée, hier soir.

Lui : Pas moi.

Faites-les parler...

D'hier à demain

*« D'où venons-nous ? Que sommes-nous ?
Où allons-nous ? »
écrivait Gauguin sur sa célèbre peinture.*

Hier & aujourd'hui

Hier,
on consultait l'annuaire
pour obtenir un numéro
de téléphone.
Le téléphone était toujours
occupé lorsqu'on voulait
réserver une place au théâtre
ou dans un train.

Aujourd'hui,
avec le minitel, nous pouvons
réserver une place
dans un train,
savoir quels films passent
dans les cinémas,
quel temps il fera demain,
quelles sont les actualités
du jour et même entrer
en contact avec des inconnus.

Hier,
on attendait le journal
pour avoir les nouvelles
de la veille.
On regardait les actualités
au cinéma.

Aujourd'hui,
on peut voir en direct,
ou quelques heures après,
ce qui se passe
à l'autre bout du monde.
On peut enregistrer un film
ou une émission qu'on a envie
de voir et de revoir.
Le monde est
sous nos yeux.

Hier,
Joséphine Baker chantait :
« J'ai deux amours,
mon pays et Paris »
et Caruso chantait
la Traviata.
Leurs voix
étaient transmises par
des gramophones
qu'il fallait
remonter
à la main.
Les disques
« grattaient »,
les voix étaient déformées.

Aujourd'hui,
elle marche en écoutant en stéréo
ses disques préférés.
Vous pouvez entendre
en quadriphonie
sur disque laser,
le dernier enregistrement
de *la Flûte enchantée*
ou de *la neuvième symphonie.*
Vous pouvez aussi entendre
un homme politique,
un sportif, un chef d'État
qui vous parlent
de Moscou
ou de Tokyo
comme si vous y étiez.

LA FRANCE AU QUOTIDIEN

L'Homme, son art, ses techniques...

D'abord,
il y a eu l'invention
de l'écriture qui,
un jour, est devenue
alphabétique.

Ensuite,
au XVIᵉ siècle, Gutenberg
a inventé l'imprimerie.

Au début,
les messages des hommes
étaient gravés dans la pierre.

Plus tard,
à l'époque historique,
les artistes ont raconté
les histoires
des héros et des dieux
à l'aide
de la sculpture
et de la peinture.

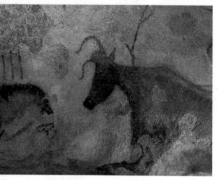

Lascaux (Dordogne).

1. Le Parthénon à Athènes.
*2. La fuite en Égypte, Très belles heures de Jean,
duc de Berry (Bruxelles).*

Au début,
les premiers messages oraux
étaient transmis par des coureurs.
Après la victoire de Marathon,
le coureur envoyé pour annoncer
la nouvelle à Athènes,
est mort d'épuisement
à son arrivée.

Plus tard,
des conteurs et des troubadours,
dans les châteaux et les villages,
ont raconté des histoires
et chanté des chansons. Ils ont apporté
des nouvelles d'autres pays.

*Troubadour (Bibliothèque de
Heidelberg).*

Au XIXᵉ siècle,
Edison a inventé
la T.S.F. (Télégraphie sans fil)
qui transmettait instantanément
le son d'un lieu à un autre.
La radio est née.

à travers le temps

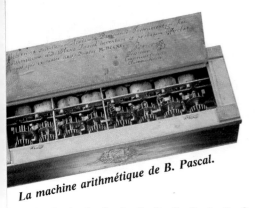

La machine arithmétique de B. Pascal.

Et puis surtout,
on a développé
les machines à calculer
qui sont devenues des ordinateurs.
Ils sont partout
dans notre vie quotidienne.
Grâce à la miniaturisation,
les circuits intégrés
sont devenus
de la taille d'une puce
et font partie
de notre environnement quotidien.

Ensuite,
on a trouvé le moyen
de reproduire des images
en inventant la photographie.
Les frères Lumière
ont animé ces images
et le cinéma est né.

Le développement
de l'électronique a transformé
le cinéma en vidéo.

Puis,
on a gravé le son,
d'abord sur de la cire
et sur de la matière plastique
(premiers disques et microsillons),
ensuite on a fait
des enregistrements numériques
sur de l'aluminium (disques laser).
L'électronique a révolutionné
la transmission du son
comme elle avait révolutionné
celle de l'écriture et de l'image.

Activité

La main, l'œil et l'oreille. Lequel de ces trois moyens de communication vous paraît le plus efficace et pourquoi?

1. Hier soir, Brigitte est restée à la maison. ☐oui ☐non

2. Brigitte n'a qu'un seul professeur de danse. ☐
a plusieurs professeurs de danse. ☐

3. Après son cours de danse, Brigitte était fatiguée. ☐
épuisée. ☐
très fatiguée. ☐

4. Brigitte ne manque jamais ses cours de danse. ☐
manque régulièrement ses cours de danse. ☐
manque parfois ses cours de danse. ☐

5. Brigitte est allée en Italie l'année dernière. ☐
la semaine dernière. ☐
le mois dernier. ☐

6. Brigitte n'est pas allée à Florence. ☐
n'est allée qu'à Florence. ☐
n'a passé que trois jours à Florence. ☐

7. Brigitte a visité Florence toute seule. ☐
avec un Italien. ☐
avec un Américain. ☐

8. Comment s'appelle l'Italien?

9. Où a-t-elle rencontré l'Américain?

10. Pourquoi Brigitte va-t-elle manquer ses cours de danse la semaine prochaine?

• •

Résumé

Brigitte dit que . . . . . et qu'elle . . . . . parce que
les professeurs font . . . . . les danseuses.
La jeune fille raconte à son amie que . . . . . elle
. . . . . Italie et qu'elle . . . . . Florence. Là, elle
. . . . . et un . . . . . qui s'appelle Marco. Il est
probable que Brigitte va encore . . . . . parce que
Marco . . . . . Paris.

LES SPORTS

SITUATION 1

Courchevel, 1 850 mètres.

Michel et Cécile rencontrent, par hasard, Pierre et son fils Éric.

A   Éric : Attention! Attention devant!

Michel : *(assis par terre dans la neige).* Vous ne pouvez pas faire attention, non?

Éric : Excusez-moi!... Ah! Michel!

Cécile : Ça va, tu n'as pas mal?

Michel : Non, ça va, ça va. Vous êtes à Courchevel, vous aussi?

Éric : On est arrivés avant-hier avec mon père et ma sœur.

Michel : Nous, nous sommes ici depuis lundi dernier.

Pierre : Michel! Je savais que tu devais venir, mais je pensais que tu prenais tes vacances la semaine prochaine.

Michel : Cécile n'était libre que cette semaine. Mais, dis donc, tu as un fils qui skie dangereusement!

Éric : Oui, mais en monoski, on ne fait pas ce qu'on veut.

. . . .

Questions

A *Dans quelles circonstances Éric et Michel se rencontrent-ils?*

Pourquoi Pierre est-il surpris de rencontrer Michel à Courchevel?

Pourquoi Michel se trouve-t-il à Courchevel cette semaine-là?

184

B Cécile : Il y a longtemps que tu fais du monoski?

   Éric : Ça fait seulement deux jours que j'en fais.

Cécile : Ça te plaît? Moi, je trouve que c'est très difficile.

   Éric : Ah! vous savez, moi, j'ai eu un moniteur qui m'a très bien appris.

Cécile : Moi, j'ai essayé, mais le moniteur que j'ai eu m'a emmenée sur des pistes trop difficiles.

Michel : C'était lequel? Celui qui a les yeux bleus ou celui qu'on vient de rencontrer?

Cécile : Mais non, ce n'est pas celui-là, c'est un autre.

Pierre : Michel, je vois que tu es toujours aussi amoureux...

Questions

B Est-ce qu'Éric fait du monoski depuis longtemps?

Cécile n'aime pas le monoski. Pourquoi?

Est-ce que Michel aime les moniteurs?

DÉCOUVREZ les règles

On est arrivés avant-hier avec mon père.
Nous sommes ici depuis lundi dernier.
Je pensais que tu prenais tes vacances la semaine
prochaine.
Cécile n'était libre que cette semaine.

Observez les temps des verbes.

Je savais **que** tu devais venir.
Je pensais **que** tu prenais tes vacances.
Tu as un fils **qui** skie dangereusement.
On ne fait pas **ce qu'**on veut.
Je trouve **que** c'est très difficile.
J'ai eu un moniteur **qui** m'a bien appris.
Le moniteur **que** j'ai eu m'a emmenée sur une
piste trop difficile.
Celui **qui** a les yeux bleus?
Celui **qu'**on vient de rencontrer?
Je vois **que** tu es toujours aussi amoureux.

Observez les mots en **gras**.
Observez les imparfaits.

J'**ai eu** un moniteur qui m'**a** très bien **appris**.
Le moniteur m'**a emmenée** sur des pistes trop
difficiles.
Lequel? Celui qu'on **vient de** rencontrer?

Observez les passés.

Nous sommes ici **depuis** lundi dernier.
Il y a longtemps **que** vous faites du monoski?
Ça fait deux jours **que** j'en fais.

Observez les mots en **gras**.

Faites-les parler...

MANIÈRES de dire

Relevez dans la ou les situation(s) (pp. 184 et 185 ou pp. 196 et 197), différentes façons de présenter ses idées.

. . . . . .

À VOUS de parler

Jeu de rôles à deux personnages :
A et B se retrouvent après
une longue absence.

Ils se saluent et se posent des questions sur leurs amis, sur ce qui s'est passé depuis leur dernière rencontre.

Imaginez six à huit répliques.

Jeu de rôles à trois personnages :
A, B et C.

Après un long voyage à l'étranger,
A revient dans sa ville et rencontre B.
B lui demande des détails sur son voyage.
A répond en exagérant ses aventures.
B s'étonne et admire les aventures de A.
À ce moment-là, arrive C.
B lui raconte les aventures de A.
C éclate de rire et raconte la vérité (il la connaît parce qu'il était avec A).

Exercices

1

Le jeu des petits papiers

Travaillez par groupes de deux ou trois.
Un élève prend un petit papier, le lit et donne son opinion, puis il demande
à ses camarades de dire ce qu'ils en pensent.
Pour donner votre opinion, vous pouvez commencer votre phrase par
l'une des expressions suivantes.

Je crois que . . . ; je pense que . . . ; je trouve que . . . ; je sais que . . . ;
je vois que . . . ; je suis d'accord . . . ; je ne suis pas d'accord . . . .

2

Le jeu des définitions

a. Pour donner vos définitions, utilisez « c'est quelqu'un qui . . . / que
. . . » ou « c'est une personne qui . . . / que . . . ».

1. Un skieur, c'est . . . .
2. Un boxeur, ...
3. Un coureur cycliste, ...
4. Un nageur, ...
5. Un danseur, ...
6. Un violoniste, ...
7. Un pianiste, ...
8. Un boulanger, ...
9. Un boucher, ...
10. Un pâtissier, ...
11. Un épicier, ...
12. Un cordonnier, ...

b. Pour donner vos définitions, utilisez « c'est quelque chose qui . . . /
que . . . » ou « c'est une chose qui . . . / que . . . ».

1. Un porte-manteau, c'est . . . .
2. Un porte-documents, ...
3. Un coupe-ongles, ...
4. Un tire-bouchon, ...
5. Un casse-noisettes, ...
6. Un passe-partout, ...

c. Pour donner vos définitions utilisez « c'est quelqu'un qui . . . /
que . . . » ou « c'est une personne qui . . . / que . . . ».

1. Un casse-cou, ...
2. Un casse-pieds, ...
3. Un porte-drapeaux, ...
4. Un porte-parole, ...
5. Un va-nu-pieds, ...

3

À quoi ça sert?

Pour donner vos définitions, employez « c'est quelque chose qui . . . / que . . . » et les verbes « servir à, utiliser pour, être utilisé pour, . . . ».

1. Une machine à écrire, ...
2. Un dictionnaire, ...
3. Une gomme, ...
4. Un camescope, ...
5. Un ordinateur, ...
6. Un minitel, ...

4

Où est-ce que ça se trouve?

Pour donner vos réponses, utilisez « un monument, un tableau, un musée, une statue, etc. », dites où on peut les voir, les visiter et donnez toute autre information que vous avez.

1. Le Louvre. – **2.** Le British Museum. – **3.** Le Prado. – **4.** La Joconde ou Mona Lisa. – **5.** Le Parthénon. – **6.** Les Pyramides. – **7.** Le Penseur de Rodin. – **8.** Le David de Michel-Ange. – **9.** La statue de la Liberté. – **10.** La tour de Pise.

5

On le dit souvent!

Trouvez des définitions en commençant la phrase par « celui qui . . . » ou « celle qui . . . ».

Exemple :
Celui qui ne dit pas la vérité est menteur.

1. . . . . . . est imprudent.
2. . . . . . . est courageux.
3. . . . . . . est égoïste.
4. . . . . . . est paresseux.
5. . . . . . . est orgueilleux.
6. . . . . . . est gourmand.

6

Vous le saviez?

Qui a dit le premier les phrases suivantes?
Vous proposez une réponse. Ensuite vous comparez vos réponses avec celles de votre voisin(e). Vous devez vous mettre d'accord sur la bonne réponse (utilisez « je savais que . . . , je croyais que . . . », ou « je pensais que . . . » pour justifier votre réponse).

1. Je pense donc je suis.
2. Eurêka!
3. Ce que je sais, c'est que je ne sais rien.

4. Et pourtant elle tourne.

5. Après moi, le déluge!

6. L'État, c'est moi.

7. La vie est un songe.

8. L'enfer, c'est les autres.

9. Être ou ne pas être, telle est la question.

10. L'homme est un loup pour l'homme.

Choisissez parmi les noms suivants : Sartre, Shakespeare, Louis XIV, Louis XV, Galilée, Darwin, Aristote, Hobbes, Socrate, Cervantès, Calderon, Archimède, Gutenberg, Descartes, Marx, Molière, Napoléon, Kant, Camus, etc.

7 Pour se justifier

1. – Tu skies mal en monoski! Tu fais n'importe quoi!

– En monoski, on ne fait pas toujours . . . . . . veut!

2. – Vous n'avez pas trouvé un meilleur logement à Courchevel?

– À la montagne, on prend . . . . . . trouve!

3. – Mais fais attention! Tu vas tomber sur des skieurs!

– Dans la neige et le brouillard, on ne voit pas toujours . . . . . . fait.

4. – Quand on skie, on regarde devant soi!

– Je sais, il faut regarder . . . . . . est devant nous, mais aussi . . . . . . derrière nous!

5. – Comment! Tu ne trouves pas beau ce Picasso?

– On ne sait pas toujours . . . . . . beau!

6. – Comment! Tu n'aimes pas la cuisine chinoise?

– . . . . . . bon!

7. – C'est incroyable! Tu n'aimes pas cette musique? Elle est pourtant à la mode!

– . . . . . . à la mode!

8. – Tu dis n'importe quoi, c'est stupide!

– Quand on est énervé, on ne sait . . . . . . !

VOTRE grammaire

Indiquer le temps par rapport au moment présent

maintenant

hier	aujourd'hui	demain
hier matin	ce matin	demain matin
hier soir	ce soir	demain soir
la semaine dernière	cette semaine	la semaine prochaine

La durée

Il y a | deux jours | **que** | nous sommes ici.
Il y a | une semaine | **que** | je fais du ski.
Il y a | une heure | **que** | j'attends.

ou :

Ça fait | deux jours | **que** | nous sommes ici.
Ça fait | une semaine | **que** | je fais du ski.
Ça fait | une heure | **que** | j'attends.

ou :

Nous sommes ici | **depuis** | deux jours.
Je fais du ski | **depuis** | une semaine.
J'attends | **depuis** | une heure.

Le point de départ d'une situation

Nous sommes ici | **depuis** | lundi dernier.
Je t'attends | **depuis** | midi.

« Que », conjonction, réunit deux propositions

Je trouve | **que** | c'est très difficile.
Tu penses | **que** | c'est possible ?
Je savais | **que** | vous deviez venir.

« Qui/que », « ce qui/ce que » : pronoms relatifs

QUI
Tu as un fils **qui** skie bien.
J'ai eu un moniteur **qui** skiait très bien.
Le moniteur **qui** l'a emmenée sur les pistes.
Celui **qui** a les yeux bleus ?

*« Qui » est **sujet** du verbe qui le suit.*

QUE
Le moniteur **que** j'ai eu.
La femme **qu'**il a épousée.
Celle **qu'**on vient de rencontrer ?

*« Que » est **objet** du verbe qui le suit.*

Dites-moi | **ce qui** | s'est passé.
Dites-moi | **ce que** | vous voulez.
On ne fait pas | **ce qu'** | on veut.

Le mot « ce » est invariable. « Qui » et « que » sont des pronoms relatifs, sujet ou objet du verbe.

– Tu fais **du** monoski?
– Oui, j'**en** fais un peu.

– Vous faites **de la** planche à voile?
– Non, je n'**en** fais pas.

– Ils font **de l'**alpinisme.
– Moi, je n'**en** ferais pas, c'est trop dangereux.

– Vous faites **beaucoup de** sport?
– Non, je n'**en** fais pas **beaucoup**.

Pour éviter la répétition d'un nom précédé de « du, de la, de l', des », on emploie le pronom « en ».

LA CONJUGAISON DES VERBES À L'IMPARFAIT

Penser
Je pensais
Tu pensais
Il/elle/on pensait
Nous pensions
Vous pensiez
Ils/elles pensaient

Savoir
Je savais
Tu savais
Il/elle/on savait
Nous savions
Vous saviez
Ils/elles savaient

Vouloir
Je voulais
Tu voulais
Il/elle/on voulait
Nous voulions
Vous vouliez
Ils/elles voulaient

Devoir
Je devais
Tu devais
Il/elle/on devait
Nous devions
Vous deviez
Ils/elles devaient

Aller
J'allais
Tu allais
Il/elle/on allait
Nous allions
Vous alliez
Ils/elles allaient

Prendre
Je prenais
Tu prenais
Il/elle/on prenait
Nous prenions
Vous preniez
Ils/elles prenaient

Finir
Je finissais
Tu finissais
Il/elle/on finissait
Nous finissions
Vous finissiez
Ils/elles finissaient

Réussir
Je réussissais
Tu réussissais
Il/elle/on réussissait
Nous réussissions
Vous réussissiez
Ils/elles réussissaient

Choisir
Je choisissais
Tu choisissais
Il/elle/on choisissait
Nous choisissions
Vous choisissiez
Ils/elles choisissaient

VÉRIFIEZ
vos connaissances

a

b

c

Complétez les phrases suivantes et retrouvez les trois dialogues ou situations qui correspondent aux trois dessins.

1 ■ — . . . . . . longtemps . . . . . . vous faites du tennis?
— . . . . . . deux ans . . . . . . j'en fais.

2 ■ — Je prends mes vacances cette semaine.
— Ah bon? Je . . . . . . que vous . . . . . . preniez la semaine . . . .

3 ■ — Vous savez . . . . . . Michel est parti à Madrid, lundi dernier.
— Vraiment? Moi, je . . . . . . il . . . . . . lundi . . . .

4 ■ — Que pensez-vous de mon maître-nageur?
— Lequel? . . . . . . a les cheveux blonds?
— Non, ... Mon maître-nageur, c'est . . . . . . je vous ai présenté la semaine . . . .

5 ■ — Vous connaissez bien mon amie?
— Laquelle? . . . . . . j'ai rencontrée lundi dernier?
— Non, ... ! Je vous parle de Monique, vous savez, mon amie . . . . . . travaille à la CEE.
— Ah! Je vois! C'est . . . . . . vous avez conduite à Strasbourg l'autre fois!
— Oui, c'est ça! Eh bien . . . . . . trois jours . . . . . . elle est à l'hôpital.
— Qu'est-ce qu'elle a?
— On ne . . . . . . elle a, mais c'est sûrement très grave.

DÉCOUVREZ les sons

1 ▶ Distinguez les sons [o] / [ɔ] **d'une part et** [ø] / [œ] **d'autre part.**

Exemples :

[o] ou [ɔ]	[ø] ou [œ]
Il v**au**t 10 francs.	Il v**eu**t 10 francs.
Il est s**o**t.	Il est s**eu**l.
C'est f**au**x !	Du f**eu** ?
Son c**o**rps.	Son c**œu**r.

Écoutez et mettez une croix (x) chaque fois que vous entendez [o] / [ɔ] **et** [ø] / [œ] **.**

	J'entends [o] ou [ɔ]	J'entends [ø] ou [œ]
1		
2		
3		
4		
5		
6		
7		
8		
9		
10		

2 ▶ Distinguez le son [ø] **et le son** [œ]**.**

Exemples :

[ø] comme dans « je peux »	[œ] comme dans « ils peuvent »
Si je v**eu**x, je p**eu**x.	S'ils v**eu**lent, ils p**eu**vent !
Ça va mi**eu**x.	Quelle p**eu**r !
Il est h**eu**r**eu**x.	Quel bonh**eu**r !
D**eu**x y**eu**x bl**eu**s.	Leur monit**eu**r a p**eu**r ?
Il est séri**eu**x.	Il est s**eu**l.

194

Écoutez l'enregistrement et mettez une croix (×) dans la bonne colonne.

	J'entends [ø]	J'entends [œ]
1		
2		
3		
4		
5		
6		
7		
8		
9		
10		

3 ▶ Écoutez et répétez après le modèle.

• •

Amusement sonore

C'est un jeune amoureux
qui est joyeux
qui est heureux
qui a du cœur
et des yeux si bleus.

Celui que ma sœur veut
est paresseux,
il est affreux
et même dangereux.

Quel malheur!
Son cœur est aveugle.
Quelle horreur!
La voilà qui pleure.
Quel bonheur!
Les beaux yeux bleus
lui ont offert des fleurs.

Le routard.

Itinéraire *Bis*

– Tiens! Voilà un revenant!
– Eh oui!
– Ça fait longtemps, dis donc!
– Oui, ça fait trois ans, je crois.
– Alors, tu es de retour au pays?
– Oui, j'en ai marre des voyages.
– C'était comment l'Indonésie?
– Bien, très bien. C'est un pays que j'ai trouvé « super ».
– Et les gens? Tu as connus des gens là-bas, je suppose?
– Hum, hum... des gens très « chouettes » qui sont prêts à t'aider.
– Mais ils ne sont pas bien riches là-bas, je pense?
– « Ben », ça dépend. Il y en a qui sont très riches et puis il y en a d'autres qui doivent travailler dur.
– Ouais, je vois que c'est partout pareil.
– Ah non, je ne suis pas d'accord, ce n'est pas vrai.
– Comment ça?
– Il n'y a pas de comparaison possible, je trouve. À Bali, il y a des « mômes » qui sont obligés de travailler au lieu d'aller à l'école.
– Oui, c'est dur dur...
– Alors, tu comprends, moi, les voyages, j'en ai « ras-le-bol ».

Faites-les parler...

Les voyages forment la jeunesse!

Elle : Ah! Quelle joie de vous revoir! Comme je suis contente!
Lui : Mes hommages, madame.
Elle : Venez tout me raconter. Comment s'est passé ce séjour en Australie?
Lui : Je suis enchanté de ce voyage.
Elle : Alors, dites-moi ce que vous avez vu.
Lui : Je suis resté peu de temps à Sydney. Je pense que c'est une ville comme toutes les grandes villes. Mais Adélaïde est une ville ravissante, très anglaise.
Elle : Évidemment! C'est le centre culturel de l'Australie.
Lui : En effet, c'est une ville qui attire beaucoup d'hommes de lettres et d'artistes.
Elle : J'ai l'impression que je connais aussi bien l'Australie que vous!
Lui : Peut-être, mais ne trouvez-vous pas que les voyages donnent une expérience unique?
Elle : À mon avis, il n'est pas nécessaire de voyager pour connaître un pays.
Lui : Je ne partage pas votre opinion et je me demande si on ne devrait pas obliger les jeunes à faire le tour du monde.
Elle : Parce que les voyages forment la jeunesse? Moi, je ne le pense pas du tout!
Lui : C'est peut-être une question de génération?

Faites-les parler...

LA FRANCE AU QUOTIDIEN

les sports-spectacles....

2. Le Tour de France 1989 (Patrick Tolhoek).

4. Le Parc des Princes (Paris).

5. Le Grand Prix d'Amérique 1989.

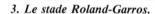

3. Le stade Roland-Garros.

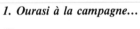

1. Ourasi à la campagne...

Ourasi a longtemps été un des meilleurs du monde. Il a remporté trois fois le Prix d'Amérique **(1)**.

En regardant le compte rendu filmé de l'étape, les téléspectateurs voyagent à travers la France. Pendant 21 jours, en juillet, les amateurs de cyclisme ne veulent pas manquer l'arrivée de l'étape du Tour de France à la télévision. Ils peuvent admirer en direct les performances des grands champions (de leur champion favori) et vérifier qu'il a toujours le maillot jaune **(2)**.

Pendant le mois de juin, le Tout-Paris sportif a sa place réservée à Roland-Garros. Pendant les grands matchs, il est parfois difficile de trouver certaines personnes à leur bureau. Elles sont à Roland-Garros ou devant leur poste de télé **(3)**.

Le Parc des Princes contient 49 000 places. Les chaînes de télévision se disputent pour retransmettre les rencontres internationales de l'équipe de France **(4)**.

6. Le Paris-Dakar 1990.

L'hippodrome de Longchamp est le rendez-vous des élégantes, des parieurs, et de ceux qui aiment les chevaux **(5)**.

Le Paris-Dakar est la course automobile la plus spectaculaire. Des motos et des camions y participent également. Les coureurs qui partent de Paris traversent une partie de l'Afrique avant d'arriver à Dakar. Ils rencontrent beaucoup d'obstacles imprévus. Certains n'arrivent jamais **(6)**.

La voile est moins spectaculaire peut-être, mais tellement belle à regarder lorsqu'on est amoureux de la mer.
Des Français, comme Éric Tabarly et Alain Colas ont été de grands vainqueurs de la Transatlantique en solitaire **(7)**.

7. Arrivée du vainqueur de la Transatlantique.

les sports pour tous

... et ceux qu'on pratique

Ce sont surtout des sports individuels.

LE HIT-PARADE
des jeunes et
des adultes

Les jeunes pratiquent :
– le football : 45 %,
– la natation : 31 %,
– le jogging et la gymnastique : 27 %,
– le tennis : 21 %.

Les adultes pratiquent :
– la marche : 28 %,
– la culture physique : 22 %,
– la natation : 21 %,
– le vélo : 15 %.

Activités

• Parmi tous ces « sports-spectacles », quel est celui qui vous fait rêver? celui qui vous intéresse, vous passionne, vous ennuie, vous plaît bien, vous amuse, vous endort, vous étonne, vous « casse les pieds »?

• Par groupes de deux, répondez à ce questionnaire (par exemple : « Le tennis m'intéresse, mais le football m'ennuie. ») et justifiez votre réponse.

• Choisissez parmi les questions proposées deux questions positives et deux questions négatives et allez interviewer vos camarades. Ils doivent justifier leurs réponses en caractérisant le sport en question (par exemple : « Le tennis m'ennuie parce que c'est monotone ou c'est toujours la même chose; le Tour de France m'intéresse parce qu'il nous fait voyager à travers la France. »)

• En grand groupe, posez des questions à vos camarades à partir du questionnaire.

Qui fait du sport en France?

77 % des hommes et 71 % des femmes ont une activité physique plus ou moins régulière. Ils pratiquent surtout un sport individuel.

La pratique du sport décroît régulièrement avec l'âge. Après 40 ans, on pratique le sport trois ou quatre fois moins.

Les hommes font plus de sport que les femmes. Celles-ci font surtout de la gymnastique, de la danse, de la natation et du ski de fond. Mais les femmes ont tendance à rattraper les hommes.

Les Français qui ont une position élevée dans la hiérarchie sociale sont plus sportifs que les autres.

Les sports des cadres : la voile, le golf, le tennis, l'équitation.
Les sports populaires : le football, la marche, la gymnastique, le vélo.

11. Pour être en forme, il faut faire du sport. ☐
il ne faut pas manger beaucoup. ☐
il ne faut pas être gros. ☐

Résumé

La journaliste veut savoir ....
Par exemple, Linda qui a 19 ans et qui est étudiante
à Sciences-Po, ... , ... pour se maintenir
en forme.
Quant à Christian qui a ...... et qui est ......, il dit que
...... il ne fait pas grand'chose : il ...... et ...... , il
.... Il ......, mais ce n'est pas facile. Pendant ses
vacances ....
La journaliste constate finalement que 60 % des
Français ...... et que pour eux, « être en forme »,
c'est avant tout ....

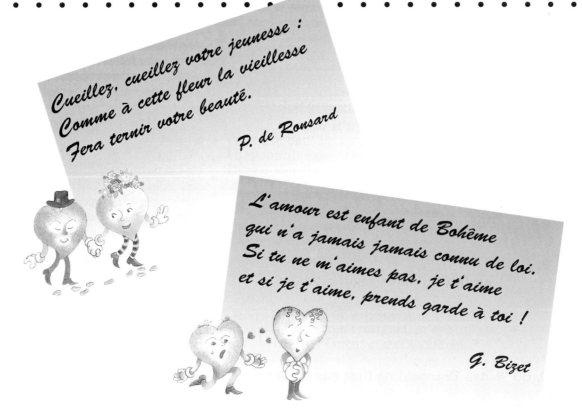

Cueillez, cueillez votre jeunesse :
Comme à cette fleur la vieillesse
Fera ternir votre beauté.

P. de Ronsard

L'amour est enfant de Bohême
qui n'a jamais jamais connu de loi.
Si tu ne m'aimes pas, je t'aime
et si je t'aime, prends garde à toi !

G. Bizet

UN AIR
DE FÊTE

SITUATION

L'anniversaire de Lucie, la fille de Pierre.

A Tous : Joyeux anniversaire, chère Lucie, joyeux anniversaire !
   Éric : Heureusement qu'il y a des anniversaires, sinon on ne la verrait
        jamais !
   Pierre : Ma chérie, ça me fait vraiment plaisir, depuis le temps !
   Lucie : Oui, je crois que ça fait presque huit mois.
   Michel : Et qu'est-ce que vous avez fait pendant tout ce temps ?
   Lucie : Vous savez, je travaille depuis huit mois. La préparation à Sciences
        Po, c'est dur. On était quatre mille candidats, ils en ont pris
        quatre cents.
   Pierre : Oui, et pendant huit mois, tu as oublié d'écrire à ton père et tu
        ne lui as même pas téléphoné.
   Lucie : Oh ! Papa, tu sais bien que je pense à toi ! Je ne t'écris pas parce
        que je n'ai pas le temps, je t'assure.
   Cécile : Pierre, Lucie sait ce qu'elle a à faire ! À son âge !

Questions

A *Est-ce que Pierre voit souvent sa fille ?*
Depuis combien de temps ne l'a-t-il pas vue ?
Et pourquoi ?
*Quelle excuse donne-t-elle à son père pour ne
pas écrire ?*

B Michel : Mais où est donc Jacky? Je pensais qu'elle viendrait?
  Pierre : Je l'ai invitée mais, malheureusement, elle n'était pas libre.
  Cécile : Je pense que Jacky est à New York. Elle m'a dit qu'elle y allait
            pour les vacances.
  Pierre : Je vous sers du champagne?
  Cécile : Non merci, je viens d'en prendre.
  Pierre : Et toi, Michel, tu en veux?
  Michel : Oui, s'il te plaît… Moi, je me demande si Jacky est vraiment
            partie à New York… Eh bien, Pierre? Qu'est-ce qui se passe?
            Qu'est-ce que tu as? Tu es tout pâle!…

Questions

*B Jacky est absente. Quelle est la raison donnée
par Pierre?
Quelle supposition fait Cécile?
Michel a un doute. Quel est ce doute?
Comment expliquez-vous le comportement de
Pierre?*

DÉCOUVREZ les règles

Observez les pronoms.

On ne **la** verrait jamais.
Ça **me** fait plaisir.
Ils **en** ont pris quatre cents.
Tu ne **lui** as même pas téléphoné.
Je pense à **toi**.
Je ne **t'**écris pas.
Je **t'**assure.
Je **l'**ai invitée.
Elle **m'**a dit qu'elle y allait.
Je **vous** sers du champagne?
Je viens d'**en** prendre.
Tu **en** veux?

Observez les mots en **gras**.

Tu sais bien **que** je pense à toi.
Lucie sait **ce qu'**elle a à faire.
Elle m'a dit **qu'**elle y allait.
Je me demande **si** Jacky est partie.

Observez les verbes.

Heureusement qu'il y a des fêtes, sinon on ne la verrait jamais.
Je pensais qu'elle viendrait.
Elle m'a dit qu'elle y allait.

Comparez deux expressions de la durée.

Qu'est-ce que vous avez fait **pendant** tout ce temps?
Je travaille **depuis** huit mois.
Et **pendant** huit mois, tu as oublié d'écrire.

Faites-les parler...

MANIÈRES de dire

*Relevez dans la ou les situation(s) (pp. 204 et 205 ou pp. 216 et 217), **l'expression de différents sentiments.***

Le reproche, le plaisir, l'étonnement, la curiosité, l'inquiétude, le regret, etc.
. . . . . .

À VOUS de parler

Jeu de rôles à deux personnages : le mari et la femme.

Le mari rentre et salue sa femme.
La femme répond.
Le mari voit que la table est mise comme pour une fête et demande pourquoi.
La femme lui rappelle que c'est son anniversaire (à elle).
Il réagit à sa façon et donne une excuse.
Elle réagit elle aussi à sa façon.

Terminez la scène comme vous voulez.

Jeu de rôles à trois ou quatre personnages.

Choisissez un événement.
Trouvez les réactions qui expriment des sentiments différents face à cet événement (plaisir, curiosité, regret, inquiétude, etc.).
Jouez devant la classe.

Jeu de rôles à cinq ou six personnages.

Vous décidez de célébrer une fête (anniversaire, cocktail, boom, etc.).
Vous vous distribuez des rôles.
Vous interprétez cette fête devant la classe.

Exercices

De qui ou de quoi parlent-ils?

Voici des phrases avec des pronoms. Trouvez les noms qui peuvent correspondre à ces pronoms.

Je ne l'ai pas vue. ⟶ (De qui parle-t-il? De Marie.)
Je n'ai pas vu Marie.

Je ne l'ai pas pris. ⟶ (De quoi parle-t-il?) . . . . . .
Il ne les a pas entendus. ⟶ . . . . . .
Elles les a oubliées. ⟶ . . . . . .
Tu n'en as pas pris? ⟶ . . . . . .
Il n'en a pas voulu. ⟶ . . . . . .
Je lui ai téléphoné. ⟶ . . . . . .
Elle leur a dit oui. ⟶ . . . . . .
Ils en ont bu. ⟶ . . . . . .
Je n'en ai pas acheté. ⟶ . . . . . .

Conversations

Pierre, Michel et Cécile sont en train de discuter.

1. Pierre à sa fille Lucie : Je . . . . . . ai offert un monoski à Noël.

2. Michel à Pierre : Et pendant huit mois, tu . . . . . . as écrit tous les jours, toi?

3. Cécile à Pierre et Michel : Mardi soir, vous êtes libres?
Pierre à Cécile : Non, moi je ne suis pas libre. Je serai avec Lucie. Je . . . . . . ai donné rendez-vous à Sciences Po.
Michel à Cécile : Moi non plus, je dois . . . . . . accompagner à la soirée chez Jacky.

4. Cécile à Michel : Pierre va chez Jacky? Mais je croyais qu'elle ne voulait plus . . . . . . voir?
Michel à Cécile : Jacky . . . . . . a écrit ce matin pour . . . . . . inviter.
Cécile à Michel : Je crois qu'elle . . . . . . aime.
Michel à Cécile : Lui aussi! Il pense toujours à . . . .

Refus systématique?

1. – Tu veux du champagne?
   – Non, ... Je n'aime pas ça.
   – Un verre de vin, alors?
   – . . . . . prends pas. J'ai mal à l'estomac.

2. – Vous prenez des petits gâteaux?
   – . . . . . . mange jamais. Ça fait grossir.

3. – Vous avez du feu, s'il vous plaît?
   – Je . . . . . . pas. Je ne fume pas, moi!

4. – Je vous offre de la bière?
   – Non merci, je viens . . . . Je . . . . . . veux plus.

4 **Le temps passe vite!**

Curriculum vitae de Pierre

1960-1965 : Étude d'anglais et d'espagnol à l'université.
1965-1966 : Assistant de français en Angleterre.
1966-1976 : Interprète à l'UNESCO, Paris.
1976-1980 : Traducteur aux éditions Ramsey.
1980-. . . : Interprète au Conseil de l'Europe à Strasbourg.

Pierre raconte sa vie à Jacky.

. . . .

5 **À vous de jouer!**

Composez en petit groupe le curriculum vitae d'une personne que vous connaissez bien. Donnez ce curriculum vitae à un autre petit groupe qui va maintenant le raconter à toute la classe pour qu'on devine de qui il s'agit.

6 **Où est donc Jacky?**

Vous trouverez les informations dans la situation 1.

1. Cécile . . . . . . Jacky est à New York.
2. Michel . . . . . . Jacky est vraiment partie.
3. Pierre . . . . . . Jacky allait à New York.
4. Il . . . . . . elle était toujours à Paris : Jacky ne lui a rien dit.
5. Éric . . . . . . Jacky est partie parce qu'il l'a accompagnée à l'aéroport.
6. Pierre est inquiet, il . . . . . . Jacky reviendra un jour.
7. Cécile le console, elle . . . . . . Jacky va revenir après les vacances : Jacky est professeur d'anglais.
8. Lucie trouve que cette conversation est ridicule. Après tout, dit-elle, Jacky est indépendante et elle . . . . . . , ce n'est plus une petite fille !

7 **Vive les nouvelles technologies!**

1. Éric est content, grâce au téléphone, il n'a pas à écrire.
Il le dit à un copain : « Heureusement, ... , sinon . . . . . . »
2. Grâce au minitel, Elisa n'a plus besoin de son carnet d'adresses. Elle le dit à son patron : « . . . . »
3. Grâce à l'ordinateur, Henri peut faire ses problèmes de math.
Il le dit à sa copine : « . . . . »
4. Grâce aux satellites, on peut suivre à la télévision la Coupe du Monde de football.
Un animateur de télévision parle : « . . . . »

5. Grâce au micro-ondes, Sylvie n'est pas obligée de manger des sandwiches.

Elle le dit à sa mère : « . . . . »

6. Grâce à la carte bleue, on peut enfin payer sa note au restaurant.

Une banque connue dans une campagne publicitaire : « . . . . »

8   L'erreur est humaine.

Vous apprenez quelque chose que vous ne saviez pas. Vous réagissez en disant ce que vous croyiez.

1. – Je sais que Morse a inventé le télégraphe.

  – Ah bon? . . . . . . Edison!

2. – C'est Niepce qui a inventé la photographie.

  – Ah bon? . . . . . . Daguerre!

3. – La machine à vapeur existe depuis le XVIIIᵉ siècle.

  – Ah bon? . . . . . . le XIXᵉ siècle seulement.

4. – Lucie, la femme la plus vieille du monde a trois millions d'années.

  – Ah bon? . . . . . . Ève et qu'elle . . . . . . 4 000 ans.

5. – L'Assemblée européenne se trouve à Strasbourg.

  – Ah bon? . . . . . . à Bruxelles.

6. – La capitale de l'Australie est Canberra.

  – . . . . . . Sydney.

7. – L'Amazone traverse le Pérou et le Brésil.

  – . . . . . . seulement le Brésil.

8. – En France, pour conduire une voiture, on doit avoir dix-huit ans.

  – . . . . . . seize ans.

VOTRE grammaire

Le verbe et l'objet du verbe

Sujet	Verbe	Objet direct
Pierre	aime	Jacky
Pierre	aime	les enfants
Le chat	boit	le lait
Le chat	regarde	sa maîtresse

Sujet	Pronom objet direct	Verbe
Pierre	l'	aime
Pierre	les	aime
Le chat	le	boit
Le chat	la	regarde

Sujet	Verbe	Objet direct	Objet indirect
Pierre	écrit	une lettre	à Jacky
Pierre	écrit	une lettre	à Michel
Pierre	écrit	une lettre	à ses enfants
Pierre	envoie	des chocolats	à ses enfants

Sujet	Pronom objet indirect	Verbe	Objet direct
Pierre	lui	écrit	une lettre
Pierre	lui	écrit	une lettre
Pierre	leur	écrit	une lettre
Pierre	leur	envoie	des chocolats

Le pronom « en »

Sujet	Verbe	Objet quantifié
Pierre	achète	du vin
Pierre	boit	beaucoup de vin
Cécile	mange	trop de gâteaux
Le chat	boit	une tasse de lait
Éric	prend	un verre de coca

Sujet	Pronom objet	Verbe	Quantifiant
Pierre	en	achète	
Pierre	en	boit	beaucoup
Cécile	en	mange	trop
Le chat	en	boit	une tasse
Éric	en	prend	un verre

Verbes et constructions directe et indirecte

Sujet	Verbe	Objet direct	Objet indirect
Pierre	aime voit oublie invite regarde entend écoute sent	quelqu'un ou quelque chose	∅
Pierre	demande prend dit donne offre écrit	quelque chose	à quelqu'un à . . . . . . à . . . . . . à . . . . . . à . . . . . . à . . . . . .

Ces verbes prennent seulement un complément d'objet direct.
Exemple :
Pierre aime Jacky.

Ces verbes prennent deux compléments d'objet :
– un direct sans préposition,
– un indirect avec la préposition à.
Exemple :
Pierre offre une rose à Jacky.

Pendant/depuis

Pendant

Il a travaillé pendant huit mois.

Il a fini son travail.

Il ne travaille plus.

Depuis

Il travaille depuis huit mois.

Il n'a pas fini son travail.

Il travaille encore.

Il continue à travailler.

Pour marquer l'obligation

Devoir + infinitif	Il faut + infinitif ou Il faut que + subjonctif	Avoir quelque chose à + infinitif
Je dois préparer un examen.	Il faut que je prépare un examen.	J'ai un examen à préparer.
Il doit passer un examen.	Il faut qu'il passe un examen.	Il a un examen à passer.
Tu dois donner un coup de fil.	Il faut que tu donnes un coup de fil.	Tu as un coup de fil à donner.
Lucie sait ce qu'elle doit faire.	Lucie sait ce qu'il faut faire.	Lucie sait ce qu'elle a à faire.

« Y » : pronom remplaçant un lieu

Elle va à New York.

Elle **y** va.

Elle **y** est allée.

Elle doit **y** aller.

Elle m'a dit qu'elle **y** allait.

- - Qui êtes-vous ?
- - Nous sommes les roses.
- - Ah ! Et combien êtes-vous ?
- - Quatre mille, cinq mille...
- - Et moi qui me croyais riche d'une fleur unique, je ne possède qu'une rose ordinaire... Je ne suis pas un bien grand prince.

(...)

Va revoir les roses, tu comprendras que la tienne est unique au monde.

A. de Saint-Exupéry

VÉRIFIEZ
vos connaissances

a

b

c

Jean-Pierre vous invite à fêter ses 30 ans le 10 Février à 20 heures

Complétez les phrases suivantes.

1 ▪ — Je . . . . . . sers de la vodka?
— Non, merci, je . . . . . . bois jamais!
— Et des gâteaux, vous . . . . . . prenez?
— Non, je ne dois pas . . . . . . prendre, je suis un régime très strict. Mais où est votre amie Annie? Je pensais . . . . . . elle
. . . .
— Elle est très occupée. Elle travaille . . . . . . huit mois à Air France.
— Elle aime ce nouveau travail?
— Je sais . . . . . . trouve très intéressant.

2 ▪ — Je me demande . . . . . . les enfants de Pierre . . . . . . écrivent souvent.
— Je ne sais pas . . . . . . mais je sais . . . . . . téléphonent deux fois par semaine.
— Vous n'avez pas invité Cécile et son amie?
— . . . . . . , je . . . . . . mais elles . . . . . . pas libres aujourd'hui.
— Mon frère a passé un concours national. Il y . . . . . . sept cents candidats, ils . . . . . . soixante-dix!
— Ce n'est pas beaucoup.

3 ▪ — Moi, je pensais . . . . . . Jacky . . . . . . à l'anniversaire de Lucie.
venir
partir
devoir
être
revenir
— Mais je pense . . . . . . Jacky . . . . . . à New York la semaine dernière!
— Oui, elle m'a téléphoné . . . . . . elle . . . . . . partir à un congrès.
— Je me demande . . . . . . elle . . . . . . absente longtemps?
— Elle m'a dit . . . . . . elle . . . . . . en France à la rentrée scolaire.

4 ▪ Rédigez un carton d'invitation à l'occasion d'un événement de votre choix.
. . . .

DÉCOUVREZ les sons

L'intonation expressive

Pour marquer le plaisir :

Ma chérie, ça me fait tellement plaisir de te revoir!

Pour marquer le reproche :

Tu aurais pu téléphoner, au moins!

Pour marquer l'étonnement :

Vraiment? Elle est partie à New York?

Pour marquer la curiosité :

... Et qu'est-ce que vous avez fait pendant tout ce temps?

Pour marquer le regret :

Malheureusement, elle n'était pas libre, ce soir.

1 ▶ Écoutez et mettez une croix (x) chaque fois que vous reconnaissez le sentiment exprimé par l'intonation.

	Plaisir	Reproche	Étonnement
1			
2			
3			
4			
5			
6			
7			
8			

2 ▶ Écoutez et mettez une croix (x) chaque fois que vous reconnaissez le sentiment exprimé.

	Reproche	Curiosité	Regret
1			
2			
3			
4			
5			
6			
7			
8			

3 ▶ Écoutez et dites si les personnes qui parlent acceptent ou refusent une
invitation.

	Acceptation	Refus
1		
2		
3		
4		
5		

	Acceptation	Refus
6		
7		
8		
9		
10		

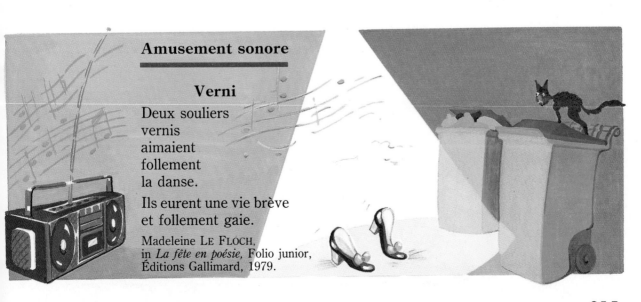

Amusement sonore

Verni

Deux souliers
vernis
aimaient
follement
la danse.

Ils eurent une vie brève
et follement gaie.

Madeleine LE FLOCH,
in *La fête en poésie,* Folio junior,
Éditions Gallimard, 1979.

J'aurais bien voulu jouer.

Itinéraire Bis

Un groupe d'amis fête la victoire sportive du collège.

A   Tous : On a gagné! On a gagné! On a gagné!

         A : Oui, hourrah! On est les plus forts!

         B : Vive l'équipe de foot!

         A : Hip, hip, hip...

    Tous : Hourrah!

         A : Ils ont été formidables! Cinq buts à la première mi-temps.

         B : Et pas un seul penalty! Ah! Ils sont forts, nos footballeurs!

         A : C'est Henri qui a marqué le plus de buts. Il en a mis quatre. Silence, silence! Je vous offre un coca-cola! On boit à la santé de Henri le Grand!

    Tous : Hourrah! Bravo!

B   B : Heureusement qu'ils ont gagné! On aura un jour de congé!

         C : Oui, c'est vrai, mais ils ont eu chaud! À la seconde mi-temps, Henri n'a même pas essayé de marquer.

         B : C'est vrai ça! Je me demande s'il n'était pas trop fatigué.

         D : Oui, c'est dommage pour l'équipe.

         A : Ça ne fait rien! Le gardien de but a été très bon.

         C : Il fallait remplacer Henri à la mi-temps. C'est toujours les mêmes qui jouent!

         A : Ah, tu es jaloux, toi!

         C : Non, non, je suis content, mais quand même, j'aurais bien voulu jouer.

Faites-les parler...

Cocktail au Procope.

En l'honneur du Professeur Richard, docteur honoris causa en Sorbonne.

M : Cher ami! Toutes mes félicitations!

R : Merci, mais quel plaisir de vous revoir!

M : Oui! Je crois que notre dernière rencontre remonte au colloque d'Urbino!

R : C'est exact. Mais depuis trois ans, on ne parle que de vous!

M : Vraiment!

R : Oui, votre ouvrage sur les bienfaits de la télévision a eu un succès très mérité.

M : Je vous remercie! Mais moi, je n'ai pas l'honneur d'être docteur honoris causa en Sorbonne!

R : Ah! Vous savez bien que ce sont des honneurs dus au grand âge!

M : Pas du tout! Votre œuvre marque et marquera toute la nouvelle génération des chercheurs!

R : Vous êtes trop gentil! Mais que dites-vous des derniers travaux de Lamballe?

M : C'est un succès médiatique! Je n'ai rien trouvé de sérieux dans son raisonnement.

R : Oui, oui, Lamballe a des qualités d'écrivain, mais il manque de profondeur.

M : Ce n'est qu'une simple vulgarisation de théories déjà très connues.

R : J'aurais quand même aimé discuter avec lui mais il a refusé mon invitation : il passe chez Pivot, ce soir.

M : Décidément, on voit toutes sortes de gens chez Pivot...

Faites-les parler...

LA FRANCE AU QUOTIDIEN

Fêtes ....

La fête peut être une grande réunion populaire.

Rassemblement contre le racisme.

La fête de la Musique.

Les Rolling Stones à Paris.

La fête peut être un rappel des célébrations anciennes.

Le solstice d'été (feux de la Saint-Jean).

Le 1er de l'An.

LA FRANCE AU QUOTIDIEN

et célébrations

La fête peut être une réunion familiale.

On se réunit pour fêter un événement qui marque une grande étape de la vie...

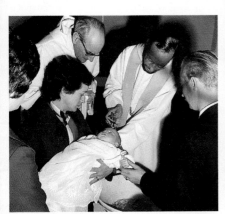

Le baptême.

La communion solennelle.

Le mariage.

ou encore,
à l'occasion de :

Une fête religieuse (Noël).

La Fête des Mères.

Un anniversaire.

La fête peut être enfin la célébration d'un événement historique, national ou régional.

1. *14 juillet 1789 : prise de la Bastille.*
2. *À l'Arc de Triomphe, sur la tombe du soldat inconnu.*
3. *Défilé du 14 juillet.*
4. *Le 11 novembre 1918 : signature de l'Armistice dans un wagon de train.*
5. *Fête de la Saint-Vincent (Bourgogne).*
6. *Bal du 14 juillet.*

LA FRANCE AU QUOTIDIEN

les rites

Comment célèbre-t-on les fêtes?

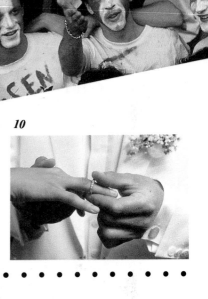

Et en France, il y a toujours un repas.

7. Le Carnaval de Nice.
8 et 9. Le défilé du 14 juillet 1989 : la Marseillaise.
10. « La bague au doigt. »
11. Repas à l'Élysée.
12. Que la fête commence (film de Bertrand Tavernier) : un repas au XVIIIᵉ siècle.

LA FRANCE AU QUOTIDIEN

La fête aujourd'hui

Les fêtes traditionnelles disparaissent. D'autres prennent une importance nouvelle : la fête de Noël est devenue la fête de l'enfance. La fête des Mères, celle des Pères et, depuis peu, celle des Grands-mères, sont régulièrement célébrées.

Les jeunes ne trouvent pas leur plaisir dans les fêtes actuelles. Ils se donnent leurs propres fêtes en cherchant des divertissements plus libres : fêtes entre copains, sorties cinéma, bal du samedi soir.

Les moins jeunes célèbrent le succès d'un collègue ou son départ à la retraite. Les buffets et vins d'honneur se multiplient.

Activités

• Repérez les principales fêtes et jours fériés en France.

• Quels types de fêtes sont célébrés et quels jours sont fériés chez vous ? Dates et types de célébration.

• Faites un texte collectif pour présenter ces fêtes à des correspondants d'une école française par exemple. Cherchez des photos et documents visuels pour accompagner le texte.

CALENDRIER 1992

1992 JANVIER ☉ 7 h 46 à 16 h 02	FÉVRIER ☉ 7 h 23 à 16 h 46	MARS ☉ 6 h 34 à 17 h 33	AVRIL ☉ 5 h 29 à 18 h 20	MAI ☉ 4 h 32 à 19 h 05	JUIN 1992 ☉ 3 h 53 à 19 h 44
1 **M** JOUR de l'AN	1 S Sᵉ Ella	1 **D** S. Aubin	1 M S. Hugues	1 **V** FÊTE du TRAVAIL	1 L S. Justin ●
2 J S. Basile	2 **D** *Présentation*	2 L S. Charles le B.	2 J Sᵉ Sandrine	2 S S. Boris ●	2 M Sᵉ Blandine
3 V Sᵉ Geneviève	3 L S. Blaise ●	3 M **Mardi-Gras**	3 V S. Richard ●	3 **D** SS. Phil., Jacq.	3 M S. Kévin
4 S S. Odilon ●	4 M Sᵉ Véronique	4 M **Cendres** ●	4 S S. Isidore		4 J Sᵉ Clotilde
5 **D** Épiphanie	5 M Sᵉ Agathe	5 J S. Olive	5 **D** Sᵉ Irène	4 L S. Sylvain	5 V S. Igor
	6 J S. Gaston	6 V Sᵉ Colette		5 M Sᵉ Judith	6 S S. Norbert
6 L S. Mélaine	7 V Sᵉ Eugénie	7 S Sᵉ Félicité	6 L S. Marcellin	6 M Sᵉ Prudence	7 **D** PENTECÔTE ☽
7 M S. Raymond	8 S Sᵉ Jacqueline	8 **D** **Carême**	7 M S. J.-B. de la S.	7 J Sᵉ Gisèle	
8 M S. Lucien	9 **D** Sᵉ Apolline		8 M Sᵉ Julie	8 **V** VICTOIRE 1945	8 L S. Médard
9 J Sᵉ Alix		9 L Sᵉ Françoise	9 J S. Gautier	9 S Sᵉ Pacôme	9 M Sᵉ Diane
10 V S. Guillaume	10 L S. Arnaud	10 M S. Vivien	10 V S. Fulbert ☽	10 **D** Fête J.-d'Arc	10 M S. Landry
11 S S. Paulin	11 M N.-D. *Lourdes* ☽	11 M Sᵉ Rosine	11 S S. Stanislas		11 J S. Barnabé
12 **D** Sᵉ Tatiana	12 M S. Félix	12 J Sᵉ Justine ☽	12 **D** **Rameaux**	11 L Sᵉ Estelle	12 V S. Guy
13 L Sᵉ Yvette ☾	13 J Sᵉ Béatrice	13 V S. Rodrigue		12 M S. Achille	13 S S. Antoine de P.
14 M Sᵉ Nina	14 V S. Valentin	14 S Sᵉ Mathilde	13 L Sᵉ Ida	13 M Sᵉ Rolande	14 **D** S. Elisée
15 M S. Remi	15 S S. Claude	15 **D** Sᵉ Louise	14 M S. Maxime	14 J S. Matthias	
16 J S. Marcel	16 **D** Sᵉ Julienne		15 M S. Paterne	15 V Sᵉ Denise	15 L Sᵉ Germaine ☺
17 V Sᵉ Roseline		16 L Sᵉ Bénédicte	16 J S. Benoît-J.	16 S S. Honoré ☺	16 M S. J.F. Régis
18 S Sᵉ Prisca	17 L S. Alexis	17 M S. Patrice	17 V S. Anicet ☺	17 **D** S. Pascal	17 M S. Hervé
19 **D** S. Marius ☺	18 M Sᵉ Bernadette ☺	18 M S. Cyrille ☺	18 S S. Parfait		18 J S. Léonce
	19 M S. Gabin	19 J S. Joseph	19 **D** PAQUES	18 L S. Eric	19 V S. Romuald
20 L S. Sébastien	20 J Sᵉ Aimée	20 V PRINTEMPS		19 M S. Yves	20 S S. Silvère
21 M Sᵉ Agnès	21 V S. P. Damien	21 S Sᵉ Clémence	20 **L** Sᵉ Odette	20 M S. Bernardin	21 **D** F.-Dieu / ÉTÉ
22 M S. Vincent	22 S Sᵉ Isabelle	22 **D** Sᵉ Léa	21 M S. Anselme	21 J S. Constantin	
23 J S. Barnard	23 **D** S. Lazare		22 M S. Alexandre	22 V S. Emile	22 L S. Alban
24 V S. Fr. de Sales		23 L S. Victorien	23 J S. Georges	23 S S. Didier	23 M Sᵉ Audrey ☽
25 S *Conv. S. Paul*	24 L S. Modeste	24 M Sᵉ Cath. de Su.	24 V S. Fidèle ☽	24 **D** S. Donatien ☽	24 M S. Jean-Bapt.
26 **D** Sᵉ Paule ☽	25 M S. Roméo ☽	25 M **Annonciation**	25 S S. Marc		25 J S. Prosper
	26 M S. Nestor	26 J Sᵉ Larissa ☽	26 **D** Jour du Souvenir	25 L Sᵉ Sophie	26 V S. Anthelme
27 L Sᵉ Angèle	27 J Sᵉ Honorine	27 V S. Habib		26 M S. Bérenger	27 S S. Fernand
28 M S. Th. d'Aquin	28 V S. Romain	28 S S. Gontran	27 L Sᵉ Zita	27 M S. Augustin	28 **D** S. Irénée
29 M S. Gildas	29 S S. Auguste	29 **D** Sᵉ Gwladys	28 M Sᵉ Valérie	28 **J** ASCENSION	
30 J Sᵉ Martine		30 L S. Amédée	29 M Sᵉ Catherine	29 V S. Aymard	29 L SS. Pierre, Paul
31 V Sᵉ Marcelle	Epacte 25 / Lettre dominic. ED Cycle solaire 13 / Nbre d'or 17 Indiction romaine 15	31 M S. Benjamin	30 J S. Robert	30 S S. Ferdinand	30 M S. Martial ●
				31 **D** Fête des Mères	CASLON - Paris (1) 45 42 13 20

Cartons

Il est vrai que les Français écrivent de moins en moins : un coup de téléphone est tellement plus rapide ! Cependant, il y a des occasions qui doivent laisser des traces écrites : naissances, baptêmes, communions, mariages, enterrements, etc. Pour ces grandes occasions, on envoie un « faire-part ». C'est un carton, un « bristol », sur lequel l'identité, l'adresse et les circonstances de l'événement à célébrer sont imprimées. Des formules rituelles annoncent officiellement ce que tout le monde sait déjà, mais elles marquent la solennité de l'événement pour ceux qui reçoivent comme pour ceux qui seront reçus.

Ces formules rituelles indiquent non seulement la raison de la célébration mais le sentiment éprouvé par la famille :

> Monsieur et Madame Jacques DUPRÉ
> ont la joie de vous annoncer
> la naissance de leur fils
> **Thomas**
> et vous convient à un déjeuner
> qui aura lieu le 29 octobre à Bel-Œuvre.

Pour le mariage de Thomas :

> Monsieur et Madame Jacques DUPRÉ ont
> le bonheur de vous faire part du mariage
> de leur fils Thomas, avec Sabine Soulé.

Si Thomas est sorti major de sa promotion à Sciences Po, ses parents donnent une fête et vous l'annoncent comme suit :

> Monsieur et Madame Jacques DUPRÉ
> recevront pour leur fils Thomas,
> le Samedi 3 juillet à 21 heures,
> dans les Salons de l'Académie
> Diplomatique Internationale,
> 4 bis, avenue Hoche, Paris 8ᵉ.
>
> Tenue de soirée, invitation et carte d'identité
> demandées à l'entrée.

Plus tard, dans la vie, il est probable que vous recevrez un jour une enveloppe bordée de gris vous annonçant le décès de Jacques Dupré :

> †
>
> Madame Jacques DUPRÉ,
> Thomas Dupré, son fils,
> Madame Thomas Dupré, sa bru,
> Marc-Etienne, son petit-fils,
> ont la douleur de vous faire part du décès
> de leur mari, père, beau-père et grand-père,
>
> Monsieur Jacques Dupré,
>
> survenu le 13 Mai 1988.

Les cartons d'invitation expriment la joie, le bonheur, le plaisir, le regret, la douleur mais ne disent pas la fierté ni l'orgueil que les parents éprouvent à l'occasion du succès de leurs enfants. Le carton met alors l'accent sur le **lieu** de la célébration (salons) et sur la **tenue vestimentaire** que vous devrez porter à cette occasion (cravate, smoking, tenue de soirée). Un carton demande obligatoirement une réponse. Celle-ci indique si l'invité « accepte avec la plus grande joie » ou « a le regret de ne pas pouvoir assister ». Quoi qu'il en soit, un cadeau de circonstance est attendu ! Cadeaux de baptême, cadeaux de mariage, cadeaux marquant une réussite scolaire ou un succès aux concours des grandes écoles. Pour un deuil, si votre présence n'est pas indispensable à l'enterrement, vous êtes dans l'obligation d'envoyer un petit mot pour présenter « toutes vos condoléances » et pour dire que « vous prenez part à la douleur » de la famille. Ces réponses sont les plus difficiles à rédiger. S'il existe des cartons imprimés pour annoncer les événements marquants de la vie, il n'existe malheureusement pas les réponses qu'il vous faudra obligatoirement écrire à la main.

EST-CE QUE

vous avez compris?

1. La journaliste n'a interrogé que des Parisiens. ☐
a interviewé des provinciaux. ☐

2. Elle veut savoir si les Français font la fête. ☐
quand les Français font la fête. ☐
comment les Français font la fête. ☐

3. Pour Jacques qui habite Nancy, faire la fête, c'est :
s'habiller très bien le samedi soir. ☐
manger et boire beaucoup le samedi soir. ☐
sortir avec ses copains le samedi soir. ☐

4. Jacques n'aime pas faire la fête. ☐
oublie les fêtes. ☐
adore faire la fête. ☐

5. Marie a 16 ans. ☐
18 ans. ☐
12 ans. ☐

6. Marie aime s'habiller pour les fêtes. ☐
aime que tout le monde la regarde. ☐
n'aime pas se maquiller pour aller à la fête. ☐

7. Thierry habite Nancy. ☐
Marseille. ☐
Bordeaux. ☐

8. Thierry adore la musique. ☐
la danse. ☐
les grands repas. ☐

9. Jean-Pierre a 16 ans. ☐
18 ans. ☐
36 ans. ☐

10. Jean-Pierre trouve que les Français aiment trop la fête. ☐
aiment trop la musique française. ☐
ne savent plus faire la fête. ☐

11. Jean-Pierre n'aime aucune fête. ☐
que la musique moderne. ☐
que les fêtes folkloriques. ☐

12. Anne-Sophie habite Bordeaux. ☐
                     Nancy. ☐
                     Rennes. ☐

13. Anne-Sophie aime sortir avec ses copains. ☐
                     les fêtes nationales. ☐
                     beaucoup les fêtes familiales. ☐

14. Pour Sabine, faire la fête c'est regarder la télévision. ☐
                     assister aux défilés du 14 juillet. ☐
                     dîner avec son mari en tête à tête. ☐

15. Tous les Français font la fête de la même manière. ☐
                     ont le même point de vue sur la fête. ☐
Il y a autant de points de vue sur la fête qu'il y a de Français. ☐

16. En France, tout le monde ne comprend pas ce que veut dire le mot « fête ». ☐
                     demande ce que veut dire le mot « fête ». ☐
                     comprend ce que veut dire le mot « fête ». ☐

• •

R ésumé

La journaliste a interviewé . . . . Elle veut savoir
. . . . . . la fête. Pour Jacques, faire la fête . . . . . .
Marie, elle . . . . Quant à Thierry, il . . . .
Jean-Pierre, lui . . . . Anne-Sophie . . . . Pour
Sabine . . . . La journaliste en conclut qu'il y a
. . . . Toutefois, en France . . . . . . le mot « fête ».

Transcriptions
des enregistrements

UNITÉ 1

Au bureau des réservations d'une gare SNCF

— Bonjour.
— Bonjour, monsieur.
— Je voudrais une réservation Paris-Bordeaux, pour le samedi 22 juillet, le train de 13 heures.
— C'est à quel nom ?
— Dupré, Jacques Dupré.
— Vous voulez une place « fumeur » ou « non-fumeur » ?
— Une place « non-fumeur ».
— Il y a un retour ?
— Je ne sais pas encore quand je reviens.
— Alors voici votre réservation : voiture 6, place 14. Vous prenez votre billet maintenant ?
— Oui, oui.
— 310 F... Merci.
— Au revoir.

UNITÉ 2

Interview à la télé de jeunes chanteurs

L'animateur : Comment tu t'appelles ?
Le jeune garçon : Ben, tu sais bien ! je m'appelle Renaud.
L'animateur : Renaud ? et quel âge as-tu Renaud ?
Le jeune garçon : J'ai 15 ans.
L'animateur : Et qu'est-ce que tu vas nous chanter, Renaud ?
Le jeune garçon : Une chanson de Barbara.
L'animateur : Comment elle s'appelle cette chanson ?
Le jeune garçon : Il pleut sur Nantes.
L'animateur : Et pourquoi tu as choisi cette chanson ?
Le jeune garçon : Parce que j'aime beaucoup Barbara.
L'animateur : Tu es venu seul à l'émission ?
Le jeune garçon : Non, mon père est dans la salle, là-bas *(geste).*
L'animateur : C'est le monsieur avec une barbe ?
Le jeune garçon : Oui.
L'animateur : Et qu'est-ce qu'il fait ton père ?
Le jeune garçon : Il fait... il fait... il est photographe.
L'animateur : Pour un journal ?
Le jeune garçon : Oui, il est photographe de mode.
L'animateur : Et ta mère ? elle est là aussi ?
Le jeune garçon : Oui, là, à côté de mon père.
L'animateur : C'est la jeune dame blonde à côté de ton père ?
Le jeune garçon : Oui.
L'animateur : Et ta mère, elle est photographe, elle aussi ?
Le jeune garçon : Non, elle est infirmière dans un hôpital.
L'animateur : Et toi, Renaud, qu'est-ce que tu veux faire plus tard ?
Le jeune garçon : Je ne sais pas, informaticien peut-être ou bien chanteur !
L'animateur : Eh bien, bonne chance Renaud ! et maintenant chante-nous ta chanson.
Le jeune garçon : « Il pleut sur Nantes, donne-moi la main. Le ciel de Nantes rend mon cœur chagrin. »

UNITÉ 3

Interview radio d'un demandeur d'emploi

— Je travaille dans le commerce depuis cinq ans.
— Et avant, qu'est-ce que vous avez fait ?
— J'ai d'abord été ingénieur technico-commercial et puis responsable marketing d'une agence.
— Et qu'est-ce que vous voulez faire maintenant ?
— Je souhaite travailler maintenant au niveau international.
— Alors, vous parlez plusieurs langues étrangères ?
— Je parle russe et anglais couramment. Je possède des connaissances en espagnol et en chinois.
— Vous recherchez un poste au niveau international, mais quoi plus précisément ?
— Je cherche un poste de commercial dans le secteur des pays de l'Est. Je voudrais représenter une société française.
— Pour cela, il faut partir à l'Étranger ! Vous pouvez être disponible très rapidement ?
— Ça ne pose aucun problème.
— Dernière question : vous êtes spécialiste marketing, mais dans quel secteur d'activités ?
— L'édition littéraire, le secteur industriel ou la bureautique.
— C'était l'annonce de Patrick Cordet. Pour le joindre, c'est simple : composez le 60.05.64.04 à Toulouse.

UNITÉ 4

Interview d'une touriste dans les rues de Paris

Le journaliste : Vous voulez bien répondre à quelques questions pour Radio-Paris ?
La touriste : Radio-Paris ? Qu'est-ce que c'est ?
Le journaliste : C'est une radio libre.

La touriste : Mais qu'est-ce que vous voulez savoir ?

Le journaliste : Eh bien, votre point de vue sur Paris et les Parisiens.

La touriste : Ah ! je vois ! Vous voulez savoir ce que je pense de votre pays !

Le journaliste : C'est ça. Vous êtes d'accord ?

La touriste : D'accord !

Le journaliste : C'est la première fois que vous venez à Paris ?

La touriste : Ah non, c'est ma cinquième visite.

Le journaliste : Vous connaissez bien Paris alors ?

La touriste : Je connais surtout les grands monuments : l'Arc de Triomphe, la tour Eiffel, Notre-Dame, le Panthéon.

Le journaliste : Quel est le monument que vous préférez ?

La touriste : Je crois que c'est le Louvre et la pyramide de verre. C'est magnifique et très original mais j'aime aussi les rues, les marchés, les petits quartiers populaires. Ce matin, j'ai visité un quartier du 13e arrondissement. C'est très pittoresque avec ces vieilles maisons et les gens qui viennent de partout : les Asiatiques, les Arabes et les Africains. C'est très cosmopolite, ce quartier.

Le journaliste : Et les grands magasins ? qu'est-ce que vous en pensez ?

La touriste : Il y a de très belles choses, mais c'est beaucoup trop cher pour moi ! C'est comme les restaurants, je les trouve trop chers ! Hier, je suis entrée à la Tour d'Argent pour voir les prix. C'est fou, 180 F pour une tranche de melon, vous vous rendez compte ?

Le journaliste : Oui, mais vous parlez de l'un des meilleurs restaurants parisiens !

La touriste : C'est vrai, mais à propos de restaurants, il y a quelque chose que je n'aime pas à Paris. Avant, ce n'était pas comme ça. Maintenant, partout il y a des Mac Donald et des Burger King. C'est affreux pour Paris. Je crois que c'est dommage.

UNITÉ 5

Les achats d'une vieille dame dans une petite épicerie

La scène se passe à Paris, dans le 5e arrondissement. Une vieille dame fait ses courses dans une petite épicerie. Le patron est un jeune Tunisien. C'est un lundi matin, il est 11 h 30. La petite vieille s'approche de la caisse avec son petit sac à provisions et dit :

— Tu me donneras une petite tranche de jambon, mon chou.

— Oui, madame.

— Et puis, donne-moi aussi des tomates en sauce.

— Du concentré de tomate ?

— Mais non, mon chou, pas ça !

— Avec de la viande dedans ?

— Ah non ! C'est pour mettre sur mes pâtes. J'aime bien la sauce tomate sur les pâtes.

— Alors, vous voulez ça ?

— Oui, mets-moi ça. Très bien ! Ah oui, une bouteille d'eau.

— Évian ?

— Oui, Évian, mets-la dans mon sac. Bon alors, ça fait quatre choses, hein ? mon pain, l'eau, la sauce tomate et mon jambon.

(bruit de la machine à calculer)

— Tu oublies le pain, j'ai pris un pain !

— Ah oui, excusez-moi, madame.

— C'est pas grave ! Tiens, c'est pour toi.

— Ça fait 20,75 F.

— Tiens, sers-toi. Allez, bonne journée et à demain.

— Au revoir, madame.

UNITÉ 6

Info-vacances

Pendant les vacances, vous voyagez et le soir, vous êtes contents de trouver un hôtel où passer la nuit.

Les hôtels sont classés : une étoile ou deux étoiles ? Vous payez la chambre entre 120 F et 250 F. N'attendez pas un grand confort ! À partir de trois étoiles, vous avez le droit d'être exigeants, mais vous payez plus cher, environ 500 F pour la chambre. Enfin, les hôtels à quatre étoiles vous assurent le luxe international et la cuisine exceptionnelle.

Attention ! L'hôtel et son restaurant n'ont pas forcément le même nombre d'étoiles ! Dans les restaurants, les prix sont libres, mais doivent être obligatoirement affichés à la porte de l'établissement. Les prix sont toujours taxes comprises. Le service est presque toujours compris : vous n'êtes pas obligé de laisser un pourboire. Au restaurant, vous avez le choix entre la carte et le menu. En province, le menu est souvent plus avantageux. Selon le restaurant, un menu peut coûter de 49 F à 350 F. Pour les plus jeunes qui voyagent sans leurs parents, il y a bien sûr les Auberges de jeunesse, mais elles n'ont pas assez de place pour tout le monde !

Alors, où passer la nuit ?

Vous pouvez camper : il y a des campings à une, deux, trois étoiles. Ou bien, vous pouvez dormir sur la plage ou dans un pré, « à la belle étoile ».

UNITÉ 7

Sur le bateau-mouche

« Madame, monsieur, bienvenue à bord de *l'Alouette*, le bateau qui vous offre, sur la Seine, une visite guidée des principaux monuments de Paris. Pendant trente minutes, vous allez pouvoir admirer un merveilleux spectacle architectural.

Vous êtes ici sur la rive gauche de la Seine près du Pont-Neuf qui, malgré son nom, est le plus vieux pont de Paris. C'est ce pont qui, en 1986, a été totalement emballé de superbes tissus par l'artiste Cristo.

L'Île de la Cité, devant vous, avec Notre-Dame de Paris, merveille de style gothique.

Nous passons maintenant sous le pont Saint-Louis, Saint-Louis, roi de France qui, dit-on, rendait la justice sous un chêne.

L'Île Saint-Louis, à votre droite, est un quartier résidentiel très recherché. Dans ces magnifiques demeures du XVIIe et du XVIIIe siècles vivent des famille aisées. Dans un de ces hôtels particuliers, habite la célèbre actrice Michèle Morgan. Nous nous trouvons maintenant sur la rive droite de la Seine. Regardez sur votre droite et vous pourrez apercevoir l'Hôtel-de-Ville, centre administratif principal de Paris, c'est-à-dire la mairie. C'est actuellement Jacques Chirac qui est le maire de Paris.

Nous approchons maintenant du Louvre, musée national où vous pourrez admirer la Joconde de Léonard de Vinci. De l'autre côté, sur la rive gauche, vous voyez le

dôme de l'Institut de France où se réunissent les Académiciens. Les Académiciens sont chargés de garder la pureté de la langue française.
Nous passons maintenant sous le pont des Arts. Ce pont est réservé aux promeneurs et aux artistes, peintres et musiciens. Toujours sur votre droite, les jardins des Tuileries et maintenant, la place de la Concorde avec son obélisque offert par l'Égypte à Napoléon Ier.
En face, sur la rive gauche, le musée d'Orsay, ancienne gare qui a été transformée en superbe musée d'art.
Maintenant, nous allons passer devant le Petit Palais, puis le Grand Palais où chaque année on peut visiter des expositions de peinture, comme celles de Monet, Renoir, Gauguin.
Voici enfin, sur votre gauche, la tour Eiffel. La « vieille Dame », comme on l'appelle familièrement, vient de célébrer son centenaire. Depuis 1889, la tour Eiffel est le symbole international de Paris.

UNITÉ 8

Deux étudiants de Lyon discutent de mode

A : Tu as une idée sur la mode actuelle?
B : Je ne sais pas. Avant j'avais une idée assez claire de ce que c'est la mode mais, actuellement, je pense que c'est moins clair. On peut voir des garçons et des filles, habillés de façon tout à fait extravagante, être à la mode; et puis il y a des garçons et des filles, habillés plus simplement, qui sont aussi à la mode, alors...
A : Oui, je suis d'accord avec toi, parce que il y a deux ans, la mode était plus longue, l'année dernière, elle était plus courte : il y avait beaucoup de filles qui étaient habillées très court. Mais, cette année, on voit de tout : il y a du long, du mi-long et puis du court.
B : Oui, c'est bizarre. Quand la mode du court n'existait pas, dans les années cinquante par exemple, une fille qui se serait habillée comme ça, on l'aurait montrée du doigt, mais maintenant, elles peuvent être habillées très court ou très long, personne ne dit plus rien.
Maintenant, elles portent du rouge ou du vert, ça ne choque personne!
A : La façon de s'habiller d'une fille euh, est-ce que c'est important pour toi?
B : Oui, très.
A : Très important?
B : Oui.
A : Dans les grandes occasions comme mariage, réunion de famille, est-ce que tu t'habilles mieux?
B : Je ne fais pas très attention à ce que je porte.
A : Quand tu fais les magasins, est-ce que tu trouves que les vêtements sont trop chers?
B : Moi, j'achète mes vêtements dans des boutiques bon marché où les vêtements coûtent trois fois moins cher que dans les grands magasins.
A : Il me semble que les gens qui sont en psychologie, sociologie, ou en langues sont plus excentriques. Moi je suis en sciences. Dans mon université, les gens ne sont pas habillés de manière excentrique. Je ne vois jamais personne qui choque dans les couloirs. Tandis qu'en psychologie et en sociologie, on les remarque.
B : On les remarque.
A : Et toi, un étudiant en costume, ça pourrait te choquer?
B : Un étudiant en costume, ce n'est pas que ça choque, mais c'est bizarre.

A : C'est vrai.
B : Cela dit, dans certains milieux sociaux, on doit porter des vêtements plus classiques mais à la fac...
A : Ouais, c'est vrai, il y a des milieux où on ne peut pas se présenter avec un polo et un jean délavé.
B : Ouais, c'est ça.
A : Mais à la fac, je veux dire, dans les universités, il n'y a pas d'obligation. Tu t'habilles comme tu veux.
B : Mais il y a des modes quand même, les gens qui font des sciences sont généralement plus classiques que ceux qui font de la psycho ou des langues.

UNITÉ 9

Dans une agence matrimoniale

La directrice : Vous n'avez jamais été mariée?
La femme : Non.
La directrice : Vous vous décidez maintenant à le faire.
La femme : Oui.
La directrice : Quelle est votre profession? Qu'est-ce que vous faites dans la vie?
La femme : Je suis femme de ménage..., à la télé.
La directrice : Vous n'avez pas rencontré là-bas l'homme de votre vie?
La femme : Non.
La directrice : Quel genre d'homme vous aimeriez rencontrer? Quelles sont vos aspirations?
La femme : Je voudrais un paysan, parce que je voudrais vivre à la campagne. Je pourrais m'occuper de la ferme et je pourrais aussi amener mes chats. Avant, quand j'étais petite, on m'avait placée dans une ferme; alors je connais tout ce qu'il faut faire. Vous croyez que, que c'est possible?
La directrice : C'est une chose possible, car très peu de femmes actuellement désirent retourner à la terre.

La Femme de Jean.

UNITÉ 10

Deux amies à la pause-café

A : Alors, qu'est-ce que tu as fait hier soir?
B : Eh bien... Hier soir? Je suis allée à la danse.
A : C'était comment?
B : C'était bien. Les profs, elles ont plein d'imagination. Qu'est-ce qu'on travaille!
A : Tu étais fatiguée?
B : J'étais complètement épuisée, mais bien, contente, quoi!
A : Ça t'a fait du bien, alors?
B : Ah oui! J'en avais besoin!
A : Tu vas à tes cours de danse très régulièrement?
B : Je les ai manqués deux fois. La semaine dernière, j'étais en Italie.
A : Je sais... Mais tu ne m'as pas raconté : comment c'était ton voyage en Italie?
B : Merveilleux. J'ai commencé par Turin : j'ai trouvé la ville superbe et puis après, j'ai visité Milan, Bologne et Florence...
A : Eh alors? Qu'est-ce qui s'est passé à Florence?
B : Eh ben, j'ai passé trois jours à Florence mais alors trois jours merveilleux. C'était trop court...
A : Tu as rencontré des gens sympas?

B : Hum hum... Un magnifique Italien et un grand Américain.

A : Ah bon ?

B : Oui, c'est avec l'Américain que j'ai visité Florence. Nous étions dans le même hôtel...

A : Et l'Italien ?

B : Marco ? Il viendra me voir à Paris dans huit jours.

A : Alors tu vas encore manquer tes cours de danse !!

B : C'est bien possible !!

UNITÉ 11

Les Français et « la forme physique »

La journaliste : « Être en forme » préoccupe tout le monde. Les vieux comme les jeunes veulent être « bien dans leur peau ». Alors nous avons voulu savoir ce que chacun faisait pour se maintenir en forme.

Linda : (19 ans, étudiante à Sciences Po.) Pour garder la forme ? eh bien d'abord, j'essaie de ne pas me coucher trop tard. Huit heures de sommeil, c'est indispensable. Et puis, je mange léger : pas trop de graisses, pas d'alcool, et surtout pas de cigarettes !

La journaliste : Vous suivez un régime alimentaire ?

Linda : Pas vraiment. Mais je fais très attention à ce que je prends. Je choisis de préférence salades, légumes, fruits. Je ne prends pas de plats en sauce au restaurant, et je ne mange jamais de sucreries.

La journaliste : Et du sport, vous en faites ?

Linda : Et bien, je suis inscrite à un club de danse : j'y vais deux fois par semaine.

La journaliste : Vous ne pratiquez pas les sports d'équipe ?

Linda : Non, j'ai horreur de ça.

Christian : (39 ans, commerçant.) Pour me maintenir en forme ? je ne fais pas grand-chose ! Je travaille beaucoup, je mange tout ce que je veux, je dors très peu !

La journaliste : Mais vous n'avez pas peur de grossir ?

Christian : J'aimerais bien perdre cinq ou six kilos, mais c'est difficile !

La journaliste : Et le sport, vous avez le temps d'en faire ?

Christian : Pendant mes vacances, oui. Je fais de la marche à pied. Je peux faire des kilomètres !

La journaliste : Et vous vous trouvez en forme, comme ça ?

Christian : Tout à fait. Je me sens bien, je me trouve bien.

La journaliste : Et les cinq ou six kilos en trop ?

Christian : Je porte des chemises plus larges, voilà !

La journaliste : Pour garder la forme, les gens ne font pas tous du sport, mais font tous attention à leur alimentation. Aujourd'hui, 60 % des Français surveillent leur alimentation. Être en forme, c'est avant tout ne pas être gros.

UNITÉ 12

Les Français et la fête

La journaliste : Comment les Français font-ils la fête ? Les Français s'amusent-ils beaucoup et comment ?
Écoutez ces points de vue recueillis dans différentes villes de France.

Jacques : (16 ans, il habite Nancy.) Pour moi, faire la fête, c'est surtout sortir avec mes copains le samedi soir. On est ensemble, on parle, on fait les fous, on drague, et surtout on sait qu'on n'est pas obligé de se coucher tôt. J'adore ça, faire la fête. Ça me détend, ça me fait oublier le collège et les cours.

Marie : (18 ans, elle habite Dijon.) Faire la fête ? C'est d'abord se préparer : trouver la jupe ou la robe qui sera bien pour l'événement et puis se maquiller et arriver à la fête en se disant qu'on est belle, qu'on est jeune et qu'il y a plein de monde qui vous regarde.

Thierry : (21 ans, il habite Marseille.) Oui, j'aime bien faire la fête. Pour moi la fête, c'est un énorme repas avec cinq ou six plats et puis beaucoup de vin. J'aime manger alors, quand c'est la fête, il faut encore manger plus que d'habitude.

Jean-Pierre : (36 ans, il habite Cherbourg.) Je crois que les Français ne savent plus faire la fête. Ils sont tristes, ils s'enivrent, font du bruit et écoutent des musiques qui ne sont même pas françaises. Pour moi, c'est regrettable. Heureusement qu'il y a encore quelques fêtes folkloriques avec de la musique et des danses d'autrefois, sinon, il n'y aurait plus de fêtes pour moi.

Anne-Sophie : (12 ans, elle habite Rennes.) Il y a des fêtes de famille, on est tous ensemble dans la maison de mon grand-père. Je joue avec mes cousins, on boit des jus de fruit et puis on court partout dans le jardin. C'est très amusant. Les grandes personnes parlent dans le jardin et il y a de la musique pour ceux qui veulent danser. Moi je ne sais pas danser, mais j'apprends avec maman, c'est très drôle.

Sabine : (28 ans, elle habite Bordeaux.) Les fêtes nationales ou officielles ne m'intéressent pas. C'est un spectacle pour la télévision. Jamais je n'irais aux fêtes du 14 juillet ! Mais j'aime aller à un cocktail ou même passer une soirée à la discothèque et danser toute la nuit ! Mais la plus belle fête pour moi, c'est celle que je passe en tête à tête avec mon mari ! On se fait un petit dîner, on s'habille pour la circonstance, on dîne aux chandelles et on se dit des mots d'amour !

La journaliste : Décidément, il y a autant de points de vue sur la fête qu'il y a de Français ! Mais tout le monde comprend encore ce que veut dire le mot « fête », ce qui est une bonne chose pour la santé mentale du pays !

*S*ynthèse grammaticale

============ **Articles définis** ============

	Masculin	**Féminin**
Singulier	le téléphone l'ami	la piscine l'amie
Pluriel	les amis	

============ **À + article défini** ============

	Masculin	**Féminin**
Singulier	(à + le) → **au** Michel est **au** cinéma Conjuguez le verbe **au** futur	(à + la) → **à la** Jacky est **à la** piscine Ouvrez votre livre **à la** page 40
Pluriel	(à + les) → **aux** Il va **aux** sports d'hiver Elles sont **aux** Baléares Ils vont **aux** Champs-Élysées	

N.B. : à + l' (+ voyelle).
    Il habite **à l'**hôtel.
    Elle va **à l'**école.

============ **De + article défini** ============

	Masculin	**Féminin**
Singulier	(de + le) → **du** le livre **du** professeur Elle arrive **du** Maroc	(de + la) → **de la** le livre **de la** classe Il vient **de la** Martinique
Pluriel	(de + les) → **des** la conjugaison **des** verbes l'enregistrement **des** cassettes Il revient **des** États-Unis Elle revient **des** Caraïbes	

N.B. : de + l'(+ voyelle / h) → de l'.
    Elle revient **de l'**école.
    Il vient **de l'**hôtel.

L'adjectif interrogatif

Masculin		Féminin	
Singulier	**Pluriel**	**Singulier**	**Pluriel**
quel film?	quels films?	quelle rue?	quelles rues?
quel ami?	quels amis?	quelle étudiante?	quelles étudiantes?

Quel film tu as vu? Quelle rue tu prends?

Adjectifs et pronoms démonstratifs

Masculin	Féminin	Masculin	Féminin
Singulier		**Pluriel**	
ce monsieur cet ami cet homme	cette femme cette amie	ces amis ces gens	ces amies ces personnes
celui-ci/là celui de ... celui qui/que ...	celle-ci/là celle de ... celle qui/que ...	ceux-ci/là ceux de ... ceux qui/que ...	celles-ci/là celles de ... celles qui/que ...

Adjectifs et pronoms possessifs

Personne \ Genre	Masculin	Féminin	Masculin	Féminin
	Singulier		**Pluriel**	
1re	mon le mien	ma la mienne	mes les miens	mes les miennes
2e	ton le tien	ta la tienne	tes les tiens	tes les tiennes
3e	son le sien	sa la sienne	ses les siens	ses les siennes
1re	notre le nôtre	notre la nôtre	nos les nôtres	nos les nôtres
2e	votre le vôtre	votre la vôtre	vos les vôtres	vos les vôtres
3e	leur le leur	leur la leur	leurs les leurs	leurs les leurs

Adjectifs et pronoms possessifs (accord)

	Masculin	Féminin	Masculin	Féminin
	Singulier		**Pluriel**	
Adjectif	mon copain mon ami mon héros	ma copine mon amie mon héroïne	mes amis nos copains	mes copines nos amies
Pronom	le mien	la mienne	les miens	les miennes

*N.B. : le fonctionnement est le même pour les trois premières personnes du singulier : **mon, ton, son**.*

Quantité comptable (dans une phrase négative)

– Vous avez **des** sandwichs ?	– Non, nous **n**'avons **pas de** sandwichs.
– Vous avez **des** œufs durs ?	– Non, nous **n**'avons **pas d**'œufs durs.

Quantité non-comptable (dans une phrase négative)

– Vous avez **du** lait ? / **de l**'argent ? / **de la** bière ? – Non, je **n**'ai **pas de** lait. / **pas d**'argent. / **pas de** bière.

« En » remplace une quantité non-comptable

– Vous avez **du** lait ?	
– Vous avez **de l**'eau minérale ?	– Oui, j'**en** ai.
– Vous avez **de la** bière brune ?	– Non, je n'**en** ai pas.
– Tu veux combien de sucres dans ton café ?	– J'**en** prends **deux**.
– Elle a combien d'enfants ?	– Elle **en** a **trois**.
– Tu veux **du** thé ?	– J'**en** veux **une** tasse.
– Tu achètes **des** pommes ?	– J'**en** achète **un** kilo.

Pronoms personnels

Personne \ Fonction	Sujet	Objet direct	Objet indirect
1re	je	me/m'	me/m'
2^e	tu	te/t'	te/t'
3^e	il/elle/on	le/l'/la	lui
1re	nous	nous	nous
2^e	vous	vous	vous
3^e	ils/elles	les	leur

Place des pronoms personnels

Forme \ Temps	Temps simple (présent)	Temps composé (passé composé)	Verbe + infinitif
Affirmative	Je le vois Je l'entends Je lui parle	Je l'ai vu Je l'ai entendu Je lui ai parlé	Je veux le voir Je veux l'entendre Je veux lui parler
Négative	Je ne le vois pas Je ne l'entends pas Je ne lui parle pas	Je ne l'ai pas vu Je ne l'ai pas entendu Je ne lui ai pas parlé	Je ne veux pas le voir Je ne veux pas l'entendre Je ne veux pas lui parler

N.B. : En ce qui concerne l'élision de la voyelle, le fonctionnement est le même avec les pronoms **me** *et* **te**.

Prépositions et noms de lieux

Préposition \ Lieu	Ville	Pays masculin	Pays féminin	Pays sans article
à	à Paris à Madrid			à Cuba à Madagascar à Tahiti
au (singulier)	au Havre	au Canada		
à la	à La Havane à La Rochelle		à la Martinique à la Réunion	
en	en Avignon		en Amérique en URSS en France en Nouvelle-Calédonie	
aux (pluriel)		aux États-Unis	aux Caraïbes aux Nouvelles-Hébrides aux Antilles	

« Y » remplace un nom de lieu

Il va **à Marseille**.	⟶	Il **y** va.
Nous sommes **dans la classe**.	⟶	Nous **y** sommes.
Il habite **en Argentine**.	⟶	Il **y** habite.
Nous sommes allés **au théâtre**.	⟶	Nous **y** sommes allés.
Il peut aller **en Angleterre**.	⟶	Il peut **y** aller.
Elle veut aller **au Canada**.	⟶	Elle veut **y** aller.

Comparatifs et superlatifs

Comparatifs \ Emploi	Avec un adjectif	Avec un nom	Avec un verbe
Supériorité	plus joli(e) plus intéressant	plus de temps plus d'amour	Il mange plus Elle boit plus que lui
Infériorité	moins beau moins belle	moins de temps moins d'argent	Il parle moins que toi
Égalité	aussi joli(e) que…	autant d'argent que…	Il gagne autant qu'elle
Bon Bien	meilleur(e)		Elle chante mieux que toi
Superlatifs	le plus joli de tous la plus belle de toutes le/la meilleur(e) de tous (toutes)	C'est lui qui a le plus d'argent C'est elle qui a le moins de défauts	C'est moi qui gagne le plus C'est toi qui chantes le mieux C'est elle qui parle le moins bien

Impératif (forme affirmative)

Type de verbe \ Personne	2ᵉ personne (familier)	2ᵉ personne (de politesse)	1ʳᵉ personne pluriel	2ᵉ personne pluriel
1ᵉʳ groupe	écoute regarde	écoutez regardez	écoutons regardons	écoutez regardez
2ᵉ groupe	finis	finissez	finissons	finissez
3ᵉ groupe	écris prends	écrivez prenez	écrivons prenons	écrivez prenez
Verbes irréguliers	fais va viens dis (-moi)	faites allez venez dites (-moi)	faisons allons venons disons	faites allez venez dites (-moi)
Verbes pronominaux	tais-toi amuse-toi (bien)	taisez-vous amusez-vous (bien)	amusons-nous	amusez-vous

Impératif (forme négative)

Verbes non pronominaux	Ne regarde pas Ne prenez pas le train N'allez pas à Paris Ne faites pas cela Ne dis pas cela
Verbes pronominaux	Ne t'inquiète pas Ne vous inquiétez pas Ne vous dérangez pas Ne nous affolons pas

Emploi des auxiliaires « être » et « avoir »

Auxiliaire \ Type de verbe	Verbes transitifs et intransitifs	Verbes indiquant un mouvement dans l'espace	Verbes indiquant un changement de lieu	Verbes pronominaux
Avoir	J'ai mangé une pomme J'ai dormi J'ai descendu la valise J'ai sorti la voiture	J'ai marché dans la forêt J'ai sauté la barrière J'ai dansé toute la nuit J'ai couru		
Être			Je suis descendu à 8 heures Je suis sorti à 9 heures Il est arrivé à 10 heures	Je me suis levé(e) tôt Je me suis dépêché(e) Il s'est inquiété de mon absence

_T_able des matières

Unité 3 : En France 43

Unité 4 : Bons baisers de Paris et de province 59

239

Itinéraire bis

Unité 12 : Un air de fête 203

Itinéraire recommandé

Itinéraire bis

Impression et brochage : Mame Imprimeurs à Tours
Décembre 1993
Nº d'imprimeur : 31191